D1488311

Épouser la Hongrie

ici **l'Ailleurs**
collection dirigée par Aline Apostolska

Déjà parus :

Christiane Duchesne, *Le premier ciel*
Pierre Samson, *Alibi*
Naïm Kattan, *Les villes de naissance*
Robert Dôle, *Mon Allemagne*
Sylvie Massicotte, *Au pays des mers*
Hélène Dorion, *Jours de sable*
Hugues Corriveau, *Hors frontières*
Martine Delvaux, Catherine Mavrikakis, *Ventriloquies*
Pierre Thibeault, *D'un ici à l'autre*
Marie-Andrée Lamontagne, *La méridienne*

Linda Leith

Épouser la Hongrie

Traduit de l'anglais par Aline Apostolska

LEMÉAC

*Leméac Éditeur remercie le ministère du Patrimoine canadien,
le Conseil des arts du Canada, la Société de développement des
entreprises culturelles du Québec (SODEC) et le Programme de
crédit d'impôt du Gouvernement du Québec (Gestion SODEC) du
soutien accordé à son programme de publication.*

ISBN 2-7609-6510-4

Titre original : Marrying Hungary
© Leméac Éditeur et Linda Leith (2004)
pour la traduction française

© Copyright Ottawa 2004 par Leméac Éditeur Inc.
4609, rue d'Iberville, 3ᵉ étage, Montréal (Québec) H2H 2L9
Dépôt légal – Bibliothèque nationale du Québec,
3ᵉ trimestre 2004

Imprimé au Canada

À nos fils

1

Le téléphone retentit, indiquant qu'il s'agissait d'un appel interurbain. Je me trouvais dans mon bureau, juste derrière la cuisine de notre appartement de Montréal, occupée à parler affaires sur ma ligne professionnelle. Miska répondit sur la ligne commune dans la cuisine. Sa voix témoignait de son excitation ; « Andy », ai-je pensé. Je n'ai pas prêté attention à leur conversation, et la porte de mon bureau était fermée. Peu après, j'ai distingué la voix réjouie de Julian. Mes fils sont toujours si heureux de parler à leur père, et quand, trop rarement, ils se retrouvent ensemble, ils ne cessent de s'agglutiner autour de lui comme des oursons.

C'était une matinée du début du mois de septembre. Je n'avais parlé avec Andy qu'une seule fois au cours de l'été, et l'avais vu pour la dernière fois au printemps. Il conservait sa belle allure, et tous ses cheveux, bien que ceux-ci fussent d'un roux plus pâle que dans sa jeunesse.

Nos conversations étaient devenues décevantes, tournant toujours autour de l'argent. D'une certaine façon, l'argent devient peu à peu la question, en fait la seule qui reste. De l'argent, il n'y en a jamais assez, ce qui peut en faire un assez bon remplaçant de l'amour dans un mariage qui tire à sa fin.

Peu importe la charge symbolique que vous lui attribuez, ce n'est, au bout du compte, que de l'argent. Le savoir ne vous sert à rien. Le résultat demeure celui-ci : toute une vie commune se trouve réduite à des dollars et des cents. Ce matin de septembre là, j'aurais préféré ne pas lui parler.

« Andy », me dit Julian en ouvrant la porte de mon bureau pour me tendre le combiné. Julian, vingt ans, le plus jeune de nos trois fils, ne s'encombre pas de mots. J'hésitai un instant, hochai la tête et tendis finalement la main.

— Bonjour Andy, ai-je dit. Il y avait des choses dont nous devions discuter, mais à cet instant l'envie m'en manquait.

— Bonjour Linnie !

Linnie. J'avais presque oublié ce surnom. Personne d'autre ne m'appelle ainsi.

Il témoignait d'un enthousiasme inhabituel :

— Nous sommes dans la voiture, Adam, Liane et moi, dit-il, en route vers Balaton. Le haut-parleur est branché et nous pouvons tous t'entendre.

— Salut maman !

C'était la voix d'Adam, notre aîné, presque vingt-six ans. Il avait dû arriver à Budapest cette semaine-là.

— Bonjour à vous ! Ça c'était Liane, la petite amie d'Adam.

Ils s'étaient rencontrés sur un tournage à la Nouvelle-Orléans, deux ans auparavant, et habitaient à présent dans le même immeuble mais pas, ou pas toujours, dans le même appartement du Plateau Mont-Royal, ici, à Montréal. Elle était sur le point d'obtenir son diplôme à l'université Concordia.

Ni Andy ni moi ne nous serions branchés sur haut-parleur pour débattre des questions dont nous devions parler. Je respirai donc plus calmement, heureuse, moi aussi, d'entendre la voix d'Adam. Liane et lui étaient en voyage depuis plus d'un mois.

— Bonjour Adam et Liane ! ai-je lancé, comment allez-vous ? J'avais bien conscience de n'avoir pas encore posé la question à Andy. Je tournais autour du pot.

— Super ! répondit Adam, à part les poignées d'amour que j'ai attrapées avec tout ce que j'ai mangé !

— En Italie ?

— Partout !

— Et toi Liane, comment vas-tu ?

— *Nagyon jó,* répondit-elle en hongrois, très bien.

J'aime bien Liane.

— Ta prononciation est parfaite, soulignai-je, et elle l'était vraiment. Le son hongrois *gy* pose problème aux étrangers, quelque chose comme un *j* nasal...

— *Köszönöm szépen,* me dit-elle, je vous remercie beaucoup !

— Je suis impressionnée ! ajoutai-je.

— *Milyen csinos lány vagy,* poursuivit-elle. Quelle belle fille tu es !

Cette dernière phrase me fit rire, bien que les mots ne me fussent pas adressés. Liane était en train de citer un membre de la famille.

Je pouvais facilement imaginer la scène. Adam l'avait sans doute présentée à sa tante Kicsinéni et à ses cousins – c'est bien ce que l'on fait lorsqu'on va à Budapest, il y a tant de parents à voir, et chacun aurait le cœur brisé que vous ne soyez pas venu lui rendre visite – et tous avaient dû lui dire : « Quelle belle fille tu es ! » Sans compter que Liane est vraiment une belle jeune fille.

Talentueuse, intelligente et attentionnée, ce que tous avaient certainement remarqué, s'ils avaient pu converser avec elle.

— *Milyen aranyas lány !* Quelle fille en or !

Les mots fusèrent instantanément, ressurgis dans ma mémoire grâce à ceux qu'elle venait de prononcer. Mes mots ne s'adressaient pas à Liane, pas plus que les siens ne s'adressaient à moi. Nous ne faisions que les répéter, et si je parlais à quelqu'un, en réalité, c'était plutôt à Andy.

— C'est ce que la mère de Kicsinéni m'a dit, expliquai-je pour Liane et Adam, la première fois que je suis allée en Hongrie.

C'était trente ans auparavant. Grand-tante Lujza – Lulunéni – m'avait chaleureusement embrassée, sa peau était aussi pâle et douce qu'un *marshmallow*, et tous les oncles et les grands-oncles grisonnants, les cousins, les petits cousins et les arrière-petits-cousins – Barna, Laci, Petya, Lajós, Micu, Gyuci, et le doux Öcsi, Bandi, Ákos, Láló, Tamás, et même l'insupportable Sándor – avaient baisé ma main en m'admirant, lorsque Andy m'avait fait faire la tournée de ses proches lors de notre premier voyage à Budapest. J'avais alors vingt-deux ans, l'âge de Liane aujourd'hui.

— Mon Dieu ! s'exclama Andy dans le combiné. C'est vrai…

— Et toi, comment vas-tu, Andy ?
demandai-je finalement.

— Bien, affirma-t-il sur un ton paisible.

Il avait traversé des années difficiles et
solitaires. Je savais qu'il avait attendu la visite
d'Adam avec impatience.

Peut-être ne nous serions-nous jamais
mariés s'il n'avait été Hongrois, et peut-être
n'aurions-nous jamais divorcé, si cela n'avait
été à cause de la Hongrie.

Il reste tant de peut-être. Peut-être ne
me serais-je jamais mariée, si cela n'avait
été avec Andy, car le mariage n'a jamais fait
partie de mes ambitions. Peut-être n'aurais-je
pas eu d'enfants ; et cela aurait été tellement
dommage. Peut-être n'aurais-je jamais écrit
de roman, si nous n'avions pas déménagé à
Budapest, car c'est là que j'ai sérieusement
commencé à écrire. À d'autres moments,
pourtant, j'ai pensé que j'aurais peut-être
commencé à écrire plus tôt si nous ne nous
étions pas rencontrés.

Inutile de perdre son temps en peut-
être. Ils sont insensés, et de toute façon
impensables, dans l'histoire de mon enfance
même. Je ne peux m'imaginer d'autres
parents, ni d'autre vie que la vie nomade
de mon enfance. À dix-huit ans, au moment
où a débuté cette histoire spécifique,

j'ai pris plusieurs décisions importantes, et dans plusieurs cas, j'ai été incapable d'en prendre, laissant le cours des choses m'imposer ses choix. Le bilan de mon mariage que j'entreprends ici me renvoie à cette époque où je me suis retrouvée sur ce chemin particulier, me rappelant qu'il en existait sans doute un autre, et d'autres encore, dans lesquels je ne me suis pas engagée. Il se trouve aussi que j'écris ceci à une période difficile pour moi. J'ai été affligée par le divorce d'une certaine manière, et par la maladie de l'un de mes fils d'une tout autre manière. Dans une telle disposition d'esprit, je pourrais conclure que j'ai en effet emprunté une ou deux mauvaises directions.

Je ne pense pas cela. Je ne me félicite pas non plus d'avoir toujours fait les bons choix. Je me suis si souvent trompée, interprétant mal certains signes dont j'ai trop hâtivement tiré des conclusions erronées. C'était très exactement ce que je venais de faire ce matin-là, en m'étonnant de trouver Adam et Liane au téléphone. Je pourrais citer de nombreux autres exemples de ce travers, certains banals et d'autres moins. Une vie passée parmi des étrangers implique inévitablement erreurs et malentendus. Et, pour ce que j'en sais, n'ayant été mariée

qu'une seule fois, on épouse toujours un
étranger.

Ces derniers temps, je m'étonne de ma
capacité à observer mon mariage avec déta-
chement, considérant sa forme selon des
critères quasi esthétiques. Toutefois, ceci
aussitôt dit, je me sens envahie par l'angoisse,
en songeant aux dangers inhérents à une
vision si détachée.

Je ne cultive pas de regrets, pas du
tout, pas plus que je ne me demande si la
jeune fille que j'étais fut avisée de prendre
certaines décisions – ou les laissant prendre
en son nom – même si j'avais peu conscience
de leur impact sur mon avenir. Il y eut bien
sûr des malheurs qui ont alterné avec autant
de plaisirs, des temps où je me suis sentie
punie et d'autres profondément bénie. Le
châtiment fut réel, mais ne constitue qu'une
partie de l'histoire ; les bénédictions, tout
aussi vraies, font pareillement partie de
l'histoire. En regardant aujourd'hui en
arrière, avec toute l'expérience accumulée
en cours de route, je me trouve étonnamment philosophe, considérant chaque
image du passé avec autant de recul que de
sérénité.

Cela sonne-t-il autosuffisant ? Ce peut
être un des dangers. Sans doute devrais-je
m'inquiéter d'avoir vraiment eu ma part
de peine et de douleurs, de chagrin et de

souffrance – et plus que ma part, m'a-t-il parfois semblé. Mais exagérer la difficulté serait un autre danger. Et c'est pourquoi je ne souhaite pas m'étendre davantage sur ce sujet ; les conséquences de ces difficultés restent suffisamment importantes comme ça. Elles ont déjà failli me détruire dans le passé, et qui peut dire si elles ne pourraient pas encore y parvenir.

La vie m'a aussi apporté plus que ma part de cadeaux, durant mon enfance comme dans ma vie d'adulte. Je ne pense pas les avoir pour autant tenus pour acquis. Ces dons me semblent toujours miraculeux, presque incroyables, et je dois sans cesse me rappeler qu'ils se sont véritablement matérialisés. L'écrire est d'ailleurs une manière de le faire.

Je n'ai jamais été très douée pour garder à l'esprit simultanément les joies et les peines de ma vie avec Andy. Je ne suis pas sûre de savoir pourquoi cela me paraît davantage possible de le faire, pendant l'intervalle précis où j'écris ces mots, mais aussi longtemps que dure cet intervalle, j'en suis heureuse. Heureuse de conserver ces difficultés à l'esprit ? Pas tout à fait. Heureuse d'être capable de reconnaître que ma vie avec lui incluait bonheur et malheur à la fois. Il y a quelque chose de juste là-dedans. Plus que cela, mon mariage me semble ainsi adopter

une certaine forme et une sorte d'inévita-
bilité, comme une histoire.

J'ai rencontré Andy lorsque j'avais dix-
huit ans, nous avons commencé à vivre
ensemble lorsque j'en ai eu vingt et un, et
nous nous sommes mariés alors que j'avais
vingt-quatre ans. Après des années vécues
pour la plupart sur différents continents,
nous sommes maintenant en instance
de divorce. Pourtant, nous demeurerons
liés jusqu'à ce que la mort nous sépare.
Nous aurons toujours nos fils, qui nous
connaissent chacun mieux que nous ne
nous connaissons nous-mêmes, et qui nous
aiment tous les deux. Quoi qu'il advienne,
ils nous garderont liés l'un à l'autre. Et
même si nos souvenirs nous divisent, et ils
nous divisent, ils restent tout de même des
souvenirs communs, la mémoire de ceux qui
partagent le même territoire mais parlent
des langues différentes ou adorent des
divinités distinctes.

En pensant à Andy aujourd'hui, je pense
que nous nous aimons encore, et que si nous
nous aimons toujours aujourd'hui, nous ne
cesserons jamais de nous aimer. Nous avons
passé la moitié de notre vie au même endroit
au même moment, nous avons pris part aux
mêmes conversations, partagé les mêmes

repas et le même lit, les mêmes espoirs et les mêmes peurs. J'ai passé trente ans de ma vie avec Andy, presque toute ma vie d'adulte, pour le meilleur et pour le pire.

2

C'était pendant l'été 1968, au Manoir Richelieu dans le village de Pointe-au-Pic, sur la rive nord du Saint-Laurent, au Québec. Andy était le responsable des paies, et moi j'assistais le responsable de la boutique, appelons-le Bertrand Harvey, et travaillais dans un bureau exigu situé dans le sous-sol du bâtiment. Bertrand était un homme petit, rond et généreux qui habitait le village avec sa famille, comme la plupart des francophones de l'équipe. La plupart des anglophones étaient des étudiants arrivés en mai, par train, en provenance de Montréal ou de Québec, et qui travailleraient là jusqu'à la fermeture de l'hôtel en septembre.

Andy et moi partagions nos chambres avec d'autres employés dans le pavillon des Bonnes & Chauffeurs, à l'arrière de la bâtisse, La chambre K, qu'il partageait avec Freddie, le responsable des registres, se trouvait de l'autre côté du hall, à quelques portes du bureau de la comptabilité. Les membres de ce bureau travaillaient beaucoup en soirée dans ce lieu de vacances, qui possédait piscine, court de tennis, terrain de golf et écurie, et les employés, qui s'y sentaient autorisés au moins autant que la clientèle, profitaient de ces commodités pendant la journée.

J'avais l'habitude de me promener alentour en soirée, en attendant que mon amie Jill, qui était l'assistante du comptable, ait fini son service. J'attendais aussi Andy, et lorsque toute l'équipe comptable fermait finalement ses bureaux, un groupe d'entre nous descendait au bar du motel le *Castel de la Mer*, que nous appelions tous *chez Castel*. À de nombreuses reprises Andy et moi avons dansé chez *Castel* – il était le seul parmi les hommes que j'avais rencontrés à vraiment savoir danser – mais ne sortîmes ensemble qu'une seule fois. Cela eut lieu à Québec, à l'occasion de la visite d'un de ses amis, où je m'assis sur ses genoux à l'arrière d'une voiture bondée. Il m'invita à une soirée l'hiver suivant, mais j'avais déjà quelqu'un dans ma vie et déclinai son invitation.

Lorsque nous nous revîmes le printemps suivant au Manoir, j'étais serveuse. La vie d'assistante du responsable de la boutique était plus facile, mais Bertrand ayant déjà tenté un rapprochement à la fin de mon premier été de travail à ses côtés, je n'avais pas l'intention de me risquer à nouveau dans son local exigu. Certes une serveuse jouissait d'un bien moindre prestige dans la hiérarchie de l'hôtel, mais le travail était nettement plus drôle et plus lucratif.

Andy et moi aurions pu moins nous voir. D'abord Jill n'était pas revenue travailler. Ensuite, je partageais désormais ma chambre avec trois autres serveuses dans la maison du personnel, à l'arrière de l'hôtel. En résumé, je n'avais aucune raison de traîner du côté du pavillon des Bonnes & Chauffeurs. De plus, j'étais désormais censée prendre mes repas dans ce que nous nommions le Zoo – la cafétéria du personnel – au lieu de la salle à manger des Officiers avec l'équipe de la comptabilité et autres employés de bureau, comme je l'avais fait l'été précédent.

Ce n'étaient pas là de vrais obstacles. Andy décida de venir prendre son petit déjeuner directement dans la cuisine, où nous pouvions discuter pendant que j'attendais que le café ait fini de couler pour l'emporter vers la table que je servais. Il lui arrivait également d'apparaître en soirée pendant que je servais le souper. Il commença à rôder alentour, prenant son café dans la salle à manger après le départ des convives, jouant au tennis ou nageant dans l'après-midi, ou regardant évoluer les baleines blanches assis sur la pelouse. Il m'intéressait, et je peux dire que je l'intéressais aussi. Il était brillant, avec un esprit qui lui permettait de voir les choses différemment que je ne les avais jamais vues jusque-là, et faisait de l'humour avec des sujets qui ne m'avaient jamais paru drôles.

Au lieu d'attendre qu'un groupe se constitue le soir après le travail, nous descendions tous les deux, seuls, chez *Castel*. Un soir, il réserva une table au Club des Monts, où nous dînâmes sous les étoiles sous les avant-toits ouverts. À une autre occasion, dans une voiture empruntée, nous nous transportâmes jusqu'aux chutes Fraser et même plus loin, jusqu'aux dunes de Tadoussac. Il me reconduisait toujours chez moi, tout le long jusqu'à la porte de ma chambre et là, il me serrait la main. Trois semaines durant, il me serra ainsi la main, tandis que je le regardais d'un air narquois, me demandant pourquoi il ne m'embrassait pas. Et enfin, une nuit, il le fit.

Il venait juste d'obtenir son diplôme du Loyola Collège à Montréal et s'apprêtait à entrer en Sciences politiques à l'université Carleton à Ottawa, en septembre. Il était grand, mince et roux – dans la cuisine tous l'appelaient « le grand orange » – et il parlait anglais, comme la plupart des membres de l'équipe estudiantine, et assez de français

pour assurer son travail. Il était plus âgé que
nous tous – il avait vingt-quatre ans cet été-là,
et moi dix-neuf – c'était la première chose
qui m'avait impressionnée quand je l'avais
rencontré, autant que le fait qu'il soit différent
de nous. Son teint pâle faisait ressortir
ses lunettes noires, et dans le groupe des
étudiants qui ne portaient que des jeans et
des shorts, il arborait un costume d'été dans
le style près du corps des années soixante.
Andy avait quelque chose de débonnaire.

M'a-t-il dit qu'il était Hongrois ? Sans
doute ; il savait à quel point cela était
important, même si je n'en avais pas encore
conscience moi-même. Il me l'avait dit mais
je n'y avais pas porté beaucoup d'attention.
C'est devenu important lorsqu'il est devenu
important pour moi. Je n'avais de toute
façon aucune idée de ce que signifiait le
fait d'être Hongrois, pas la moindre petite
idée de l'importance que cela continuait
d'avoir en 1968 pour un jeune homme qui
avait quitté la Hongrie en 1956, ni la différence que cela impliquait. Dans ma vie,
1956 c'était la préhistoire ; qui étais-je pour
savoir comment s'était senti un garçon exilé
à seulement onze ans ? Étant moi-même
venue d'ailleurs, je pense que j'avais l'impression que tous les autres se trouvaient
chez eux dans cet étrange endroit appelé
Canada. Plus encore, je n'avais aucune idée

de ce que signifiait le fait d'appartenir à une communauté et non seulement à une famille. C'est pourquoi je n'ai pas pensé du tout à ce que pouvait signifier le fait d'être un Hongrois à Montréal en cette fin des années soixante.

À cette époque, j'avais vécu dans quatre pays et voyagé dans encore trois ou quatre autres. J'avais été figurante à la radio et à la télévision de la BBC, et joué un court rôle dans un film tourné avec Glynis Johns à Looe, en Cornouailles, où ma famille passait les vacances. J'avais fréquenté huit écoles différentes, avais appris et oublié l'allemand autant que le suisse allemand, et je parlais couramment le français et l'anglais. J'avais publié des articles et des poèmes dans un journal local. En d'autres termes, de différentes façons, j'avais été bien plus exposée que la plupart des jeunes de dix-huit ans.

J'avais cependant mené une vie étrangement protégée, et j'en avais plus appris par les livres lus qu'à travers les personnes rencontrées. Je ne connaissais pas vraiment d'autre univers que celui de ma famille immédiate. J'avais vécu à Montréal, ville où la plus grande communauté, après les communautés française et anglaise, était italienne, cinq ans durant, avant de goûter une pizza. Et j'avais appris que le réveillon du

Nouvel An était la fête de la Saint-Sylvestre en lisant un manuscrit inédit de Samuel Beckett plutôt que par quelqu'un.

Ce n'était donc pas étonnant que je n'aie à peu près rien su de la Hongrie. Je n'avais jamais rencontré de Hongrois auparavant, ni été en Hongrie. J'avais juste conscience qu'Andy avait quelque chose de différent, et cette différence m'attirait.

Une des choses qui le rendaient différent dès le départ était qu'il était toujours entièrement lui-même. Il disait avoir vingt-cinq ans, et ce n'est qu'en apprenant sa véritable date de naissance quelque temps plus tard que j'ai réalisé qu'il n'en avait que vingt-quatre. C'était l'été 1969 et il est né le 30 novembre 1944 ; il avait donc bien vingt-quatre ans. Pourquoi mentir ? C'est pourtant bien ce qu'il faisait, s'attribuant l'âge de son prochain anniversaire, ce qu'il continue d'ailleurs de faire, affirmant à présent qu'il a cinquante-neuf ans quand il en a cinquante-huit.

J'ai longtemps cru à une explication culturelle, une coutume hongroise que je n'aurais pas comprise, mais je n'ai jamais rencontré d'autres Hongrois, ni aucune autre personne, qui se soient ajoutés un an d'âge. Ça m'aurait paru étrange de la part de qui que ce soit. Ça me paraissait encore plus étrange de la part d'Andy, parce qu'il y avait en lui quelque chose de juvénile, qui est toujours là. Je ne suis pas seule à l'appeler Andy encore aujourd'hui.

Je me trouvais avec lui dans la chambre K quand le téléphone a sonné un après-midi, qu'il a décroché et s'est mis à parler dans une langue que je n'avais jamais entendue auparavant. Je me souviens m'être dit que ce devait être du hongrois. Je restai interdite devant la sonorité de la langue, sans voix devant la facilité avec laquelle il la parlait, riait, répondait et posait des questions, exactement comme si tout ce qu'il disait était compréhensible. Comme si le cliquètement de staccato de cette langue étrange était parfaitement normal. Il n'avait même pas regardé dans ma direction, ne voyant même pas à quel point j'étais surprise. Il se sentait à l'aise – c'était sa mère, me dit-il plus tard – et je restai sous le choc.

C'était donc ça le hongrois. Andy, le responsable de la paie, le *grand orange*, étudiant du Loyola College de Montréal – mon Andy qui se trouvait là à mes côtés dans la chambre K –, parlait hongrois avec sa mère comme si c'était la chose la plus ordinaire du monde. Il était Hongrois. Andy était un Hongrois. Il venait de Hongrie.

Hongrie.

Un Hongrois.

Qu'est-ce que je savais de la Hongrie et des Hongrois ?

Je savais bien une ou deux choses, ce qui revient à dire que je ne savais qu'une seule chose de vraie ajoutée à quelques autres idées bizarres glanées çà et là. C'était assez, bien plus qu'assez. Le peu que je savais était si attirant que je pense que je n'ai jamais eu aucune chance d'épouser autre chose qu'un Hongrois.

L'unique chose pertinente que je savais était qu'il y avait eu une révolution en Hongrie en 1956. J'étais alors âgée de six ans et vivais en Suisse, mon père travaillant comme directeur médical de la compagnie pharmaceutique Sandoz. Ma sœur Sheelagh, née ce même septembre, n'avait que quelques semaines. J'étais trop jeune pour vraiment comprendre ce qui arrivait, mais pas pour percevoir l'anxiété. Les Russes s'arrêteraient-ils à la frontière autrichienne ? La Suisse était-elle en sécurité ? Il y avait pénurie dans les magasins car les Suisses, craignant une invasion, stockaient la nourriture.

J'avais donné mon nounours à un organisme de charité qui ramassait vêtements et jouets pour les enfants des réfugiés. Le sacrifice n'avait pas été grand et je ne me souviens plus du tout de cet ours. Je me souviens très bien, en revanche, de la voix de l'annonceur du service international de la BBC, nuit après nuit, octobre se transformant en novembre.

Et aussi, pour l'avoir lu puis relu plus tard, je me souviens bien du livre *The Good Master*. Je ne peux pas l'avoir lu pendant que nous vivions en Suisse, car j'avais là très peu de livres en anglais et me souviens encore très bien de chacun d'eux. J'ai donc dû lire *The Good Master* après que nous sommes retournés à Londres, quand j'avais neuf ans.

L'histoire se passait dans une campagne hongroise, dans un passé idyllique. Il ne pouvait s'agir cependant d'un passé très lointain, car lorsque je me suis rendue en Hongrie et ai pu juger par moi-même, j'ai retrouvé le village et les paysans hongrois pas mal tels que décrits dans le livre. Je garde le plus vif souvenir de la description de l'auteur des innombrables jupons blancs que la jeune paysanne repassait pour les porter, l'un par-dessus l'autre, le dimanche à l'église. Une illustration montrait une jeune fille dont les jupes étaient si nombreuses qu'elles tenaient toutes droites à partir de la taille. Je me souviens avoir pensé que ce devait être exagéré. Mais ce n'était pas une exagération ; c'était la stricte réalité. J'ai vu

de mes propres yeux de jeunes paysannes
vêtues exactement comme le décrivait le
livre. Cette image était restée gravée en moi,
ainsi que le titre du roman et le sentiment
vague d'une communauté tricotée serré. Mis
ensemble, ces éléments eurent l'effet de me
persuader que la Hongrie était le paradis, et
les Hongrois des gens chaleureux et gentils.
Cela seul aurait suffi, mais il y eut plus.

Le point culminant fut *My Fair Lady*.
Nous vivions alors à Londres, et j'avais dix
ou onze ans. Je n'avais pas vu la comédie
musicale sur scène, mais je possédais le
disque, que j'avais écouté et réécouté jusqu'à
ce que je connaisse toutes les chansons par
cœur. J'avais même vu Rex Harrison visiter
la tombe de sa première femme, près de là
où nous vivions, à Hampstead. Je savais qu'il
s'agissait d'une actrice nommée Kay Kendall
et qu'il l'avait adorée. Mon père était un
fervent admirateur de George Bernard
Shaw, ce qui me permit d'apprendre que *My
Fair Lady* était tirée de sa pièce *Pygmalion*. Je
savais tout de Henry Higgins, héros romantique atypique et professoral, et aussi sur
son rival professionnel Zoltán Kárpáthy, ce
chien poilu de Budapest, l'homme qui glissa
jusqu'à Eliza au bal.

Il glissa jusqu'à elle.

Rex Harrison ne chantait pas vraiment,
il prononçait plutôt les mots avec emphase

et en mesure, se délectant de ces paroles intrigantes. Je m'en délectais aussi. Autant que du nom, Zoltán Kárpáthy. Un nom qui faisait ourler vos lèvres.

Et puis il y avait le bal.

Le bal représentait un magnifique rêve, que j'avais aussi peu de chances de vivre que Eliza Doolittle n'en avait eu elle-même. Je n'étais pas la fille d'un éboueur interprété par Stanley Holloway ; mais j'étais la petite-fille d'un charpentier naval du port de Belfast du nom de Samuel Leith. Mon père avait certes bien réussi et j'étais la fille d'un médecin qui fréquentait une école réputée de Camden Town, en tunique et béret vert bouteille.

Mais un bal ?

C'était un monde au-delà de mon imagination. Je connaissais jusqu'au moindre mot de la célèbre chanson *I could have danced all night*.

Cela constituait à la fois le début et la fin de tout ce que je savais sur la Hongrie jusqu'au jour où je me suis trouvée allongée avec Andy dans la chambre K, que le téléphone a sonné et qu'il s'est mis à pérorer en hongrois.

C'était plus qu'assez. Je ne savais pas combien être Hongrois était important pour

Andy, déjà à ce moment-là. Je ne pouvais
pas du tout m'imaginer à quel point cela
deviendrait de plus en plus important à
mesure qu'il prendrait de l'âge. J'étais
juste stupéfaite de l'entendre parler cette
langue étrange, stupéfaite et intriguée.
Jusque-là il était juste Andy. Et voilà qu'il
venait de devenir le prince de Transylvanie
en personne.

« Et où es-tu maintenant ? » lui ai-je
demandé en ce mois de septembre où nous
nous parlions par téléphone, une moitié de
vie plus tard, en me représentant les champs
de tournesols sur la route qui menait de
Budapest au lac Balaton. Je continuais à
l'appeler Andy, le prénom sous lequel je
l'avais connu ; pour moi il sera toujours
Andy. Mais en Hongrie il était Andris – c'était
le nom familier que lui donnaient ses parents
et amis –, ou, plus correctement, ou formel-
lement, András. Son nom au complet en
mettait d'ailleurs plein la bouche : András
Barnabás Hugó Elemér Olivér. Outre le
nom de son père, il portait aussi ceux de ses
oncles – Barnabás du côté paternel, et Olivér
du côté maternel – et de ses deux grands-
pères, Hugó et Elemér, celui-ci étant le pater
familias du fief familial à Csömör.

« Es-tu toujours sur l'autoroute ? »

— Non, nous l'avons quittée. Nous nous trouvons exactement à la sortie de Székesfehérvár.

Székesfehérvár.

Je n'avais plus pensé à Székesfehérvár depuis de nombreuses années. C'est une bourgade à l'extrême est du lac Vert, à mi-chemin entre Budapest et le vignoble qu'Andy avait acheté sur le mont Saint-Georges. Je pouvais voir la route en esprit, la voie rapide obstruée par les véhicules lents, de vieux véhicules vacillants crachant une fumée épaisse, les silhouettes ocre jaune des immeubles à l'horizon – le jaune Franz-Joseph ainsi que le nommaient les Hongrois. Ce devait être le milieu de l'après-midi en Hongrie ; ils arriveraient au vignoble dans moins d'une heure.

« Nous te rappellerons pendant la fin de semaine, dit Andy, Liane prendra la route du retour lundi. »

J'ai oublié de m'enquérir des détails, mais j'aurais bien le temps de savoir si elle avait besoin d'un lift depuis l'aéroport. Et comment s'était-elle débrouillée ? me suis-je finalement demandé après que nous nous fûmes dit au revoir. Est-ce qu'Adam se serait bien occupé d'elle ? Était-elle vraiment *nagyon jó* ?

Je l'espérais.

3

Après la fin de l'été, j'allai à Ottawa passer les fins de semaine avec Andy. Il jouissait du luxe d'avoir une chambre individuelle dans la résidence universitaire de Glengarry House.

Glengarry. Ce nom le faisait rire. Il ressemblait à la combinaison de deux prénoms masculins, Glen et Garry. J'y voyais plus un nom de lieu que de personnes, car j'avais l'avantage d'avoir entendu ma grand-mère répéter *up the airy mountain, down the rushy glen* toute ma vie. Mais, étrangère moi-même, j'étais solidaire d'Andy. Je savais combien un nom bizarre pouvait être comique. Lorsque j'avais douze ans, à County Sligo, j'avais rencontré un jeune Français d'assez belle apparence, nommé Jean-Jacques, qui travaillait à l'hôtel Hannan's, là où nous habitions à Mulloughmore. Je me souviens avoir ri des jours durant avec mes frères à propos de « John Jack ».

J'aurais pourtant dû le savoir. Je n'avais que six ans lorsque je suis devenue Linda

« Light », telle que les Suisses prononçaient Linda Leith. Sans compter que j'étais en passe de devenir carrément une autre personne. En bon étranger, Andy ne semblait pas savoir qu'il n'existe pas de forme réduite de Linda et avait commencé à me surnommer Lin ou Linnie, et bientôt Linoleum ou Lintfuzz et même, porté par son audace, Minus Alice et jusqu'à des diminutifs à la hongroise comme Linduci ou Linducikám, Lindus ou Linduska que plusieurs membres de sa famille finirent par adopter.

Je le voyais aussi de temps en temps à Montréal, mais c'était insatisfaisant. J'étais retournée vivre avec ma famille pendant ma dernière année à l'université McGill, tandis qu'il habitait lui-même la maison parentale sur le campus du collège Macdonald à Sainte-Anne-de-Bellevue, de sorte qu'il nous était impossible de trouver l'intimité à laquelle nous aspirions à Montréal. Une seule grande exception mise à part : la nuit passée à l'hôtel Windsor.

Comment Andy eut-il l'idée de m'emmener au bal hongrois ? Avais-je fredonné des chansons de *My Fair Lady* ? C'est peu probable mais, admettons-le, pas complètement impossible, mais aller au

bal n'était pas une proposition aussi sur-
prenante qu'elle l'avait été lorsqu'il en fit
mention pour la première fois. Pour moi,
aller au bal représentait un rêve, et encore
aujourd'hui, après toutes ces années, je reste
stupéfaite, comme si je me vantais, lorsque je
parle d'aller au bal. J'appris vite, cependant,
qu'aller au bal faisait naturellement partie
de la vie d'Andy.

Cet automne-là, j'appris qu'à l'intérieur
du calendrier social de l'année, le bal
hongrois de la Saint-Étienne à l'hôtel
Windsor constituait, et constitue toujours,
l'un des événements les plus formels et les
plus élégants. Non seulement ça, mais Andy,
Andy le *grand orange* de la chambre K, se
révéla un fameux danseur qui avait participé
à ce bal à de nombreuses occasions, dansant
la *palotás* nationale pendant la cérémonie
d'ouverture et escortant une débutante
ou une autre à la demande d'un ami de la
famille. Ses parents ne venaient plus, mais ils
l'avaient fait lorsque ses sœurs, de quelques
années ses aînées, étaient elles-mêmes
débutantes.

Tout cela semblait grandiose et l'était
véritablement. Andy et sa famille étaient
pourtant loin de mener grand train. Il y avait
de cela longtemps, en Hongrie, ils avaient
possédé des biens, mais la guerre puis les
Russes puis la révolution et finalement l'exil

en avaient eu raison bien avant que je ne les rencontre. Ils avaient fui la Hongrie en 1956 avec leurs trois enfants et pas beaucoup plus que leurs vêtements sur le dos, puis avaient passé des mois dans un camp en Autriche, attendant de savoir quel pays les accepterait, puis encore quelques mois dans un camp rural québécois, en attente d'une proposition de travail.

À leur arrivée, ils ne parlaient que le hongrois. Edit, la mère d'Andy, savait quelques mots d'allemand, ce qui ne lui fut vraiment d'aucun secours dans son nouveau pays. Durant les semaines où ils attendaient un emploi approprié pour le père d'Andy, Bandi, agronome diplômé de l'université de Debrecen, ils vécurent une rude expérience comme serviteurs dans un manoir de Westmount. Edit, dans la jeune trentaine en 1957, avait été engagée comme cuisinière et devait préparer des repas – par exemple des toasts ou des biftecks – qu'elle n'avait jamais mangés de sa vie. S'ajoutèrent à cela les avances sexuelles du maître de maison, si bien qu'elle passait son temps à se tenir la tête à deux mains.

Bandi – Bandi est l'équivalent hongrois d'Andy, soit le diminutif de András – devait jouer le maître d'hôtel. Leurs deux filles travaillaient au pair, si bien qu'Andy, qui avait eu douze ans en novembre 1956 et ne parlait pas plus l'anglais que le français, passa des semaines dans une chambre des hauts de Westmount à regarder la télévision et à écouter Elvis à la radio ; il se passa ainsi plusieurs années avant qu'il n'apprenne que la chanson qu'il connaissait jusque-là sous le titre de « *moshuka* » s'appelait en réalité *I'm all shook up* !

Il était vraiment temps que Bandi soit enfin embauché par le collège Macdonald, le département d'agronomie de l'université McGill, et qu'ils déménagent tous à Sainte-Anne-de-Bellevue, à l'extrême pointe ouest de l'île de Montréal.

Lorsqu'il arriva au Canada, Bandi était un bel homme de quarante-trois ans. Jeune, il avait si belle allure qu'il posa pour une statue qui trône encore aujourd'hui dans le jardin de Vàc, au nord de Budapest. Il avait rencontré Edit dans les années trente, alors qu'il menait, avec son partenaire Laci Kemény, un fructueux commerce de pâtes alimentaires. En ce temps-là, le père d'Edit occupait un poste de vétéran au sein du gouvernement national, et lorsque le fief familial de Csömör connut son heure de gloire, on en appréciait les cours de tennis, la piscine accueillante, les orchidées autant que les abricots, les prunes et les poires.

Bandi épousa Edit, alors âgée de dix-sept ans, et Laci épousa sa sœur Mädi.

Avec la collectivisation agricole au début des années cinquante, Bandi avait été affecté à une série de fermes d'État, et la famille vécut tour à tour dans un certain nombre de villages hongrois. Son travail le tenait souvent loin de son foyer et il lui arrivait de s'échapper à cheval pour venir visiter les siens. La chance voulut que la ferme d'État qu'il administrait lorsque éclata la révolution de 1956 se trouve à la frontière autrichienne. S'étant opposé aux diktats des officiels du Parti communiste à propos d'une ferme d'État, il avait été déclaré ennemi du peuple ; il était temps pour lui de partir. Ils rassemblèrent ce qu'ils purent et s'entassèrent sur une charrette au plus sombre de la nuit ; le conducteur qui les conduisit à la frontière fut arrêté et condamné à trois ans de prison pour le rôle joué dans la fuite de la famille.

Embauché au collège Macdonald, Bandi fut d'abord affecté à l'enlèvement des ordures du campus. Lorsqu'il eut appris la langue, il se vit attribuer des responsabilités dans son domaine d'expertise, assumant le poste de direction de la ferme expérimentale, ce qui lui permit de louer une maison sur le campus. Il avait décliné une proposition d'enseigner, estimant que son anglais n'était pas au niveau

requis par un poste universitaire. Edit fut
également embauchée comme aide à l'échan-
tillonnage à la bibliothèque du collège, où
elle inscrivait des informations sur les cartes
des membres à l'aide d'une machine à écrire
au lettrage miniature.

Les parents d'Andy étaient loin d'avoir
le même niveau de vie que les miens au
Canada, mais le bal faisait partie intégrante
de leur vie au même titre que le Monopoly
faisait partie de celle de mes parents. Cela
représentait un coût certain – considéra-
blement plus que le prix d'un souper en ville
– spécialement s'il fallait acheter ou louer la
tenue adéquate ; cela constituait sans doute
un événement très spécial pour les membres
de la communauté hongroise de Montréal,
autant, disons, qu'un Boxing Day de jeux
de Monopoly pour les sept membres de la
famille Leith. Et si le Monopoly figurait une
sorte de va-et-vient entre tout et rien, le bal
rappelait aux immigrés hongrois le souvenir
du paradis perdu.

J'ai adoré ça. J'ai adoré la pompe et
le cérémonial, la *palotás* et les débutantes
tout en blanc, la *csárdás* – Andy m'avait
enseigné la *csárdás* et j'en dansais avec un
plaisir immense – et les valses. Il devait bien
y avoir six ou sept cents autres danseurs sur

la piste pour la valse d'ouverture, et je me souviens encore avoir été à la fois étourdie et curieusement happée hors de cette réalité, me regardant moi-même danser au milieu de la salle de bal, comme du haut d'une autre réalité. C'était plus que je n'en espérais pour tout le reste de ma vie. Le souper fut servi à minuit, nous dansâmes donc presque toute la nuit, puis nous nous retirâmes dans la chambre qu'Andy avait pensé à réserver pour nous. Il avait tout organisé à la perfection et tout fut exactement comme ce devait l'être. Il y eut juste deux surprises.

La première venait de l'élégance de l'occasion. J'avais revêtu une robe de brocard crème et or, et ma mère m'avait prêté son boa de plumes blanches et ses longs gants de soirée en lamé or. La robe ne m'allait pas aussi bien qu'elle aurait dû mais elle scintillait et j'en étais assez contente jusqu'à ce que je voie à quoi ressemblaient des femmes vraiment à la hauteur pour une telle occasion. Bien plus que scintillantes. Plus brillantes que lumineuses.

Et aucune ne portait de longs gants jusqu'aux coudes. À la hauteur des poignets, une rangée de petits boutons ouvragés et recouverts de tissu permettait de découvrir la main sans enlever le gant tout entier. Chez moi, mes gants me semblaient bien astucieux, mais lorsqu'on présenta les

canapés, je me suis sentie stupide avec les
doigts de mon gant pendant à mon poignet.
Mon ignorance et mon inexpérience ont fait
que je n'ai même pas pensé à fourrer les
doigts de mon gant dans la manche.

Les autres surprises découlaient en
partie de la première. Ayant grandi au sein
d'une famille nucléaire excentrique et,
sans plus guère de liens à l'extérieur, j'étais
devenue une jeune fille un peu godiche qui
avait vécu une vie inhabituelle et asociale. Le
mot *nerd* n'avait pas été inventé, et semblait
surtout s'appliquer à des jeunes gens dénués
d'attrait qui avait amassé expertise et savoir
spécialisés. J'avais l'air normale, j'étais jolie
à vrai dire, mais les conséquences de mes
réparties intelligentes auraient déjà large-
ment suffi à me cataloguer. Par exemple, je
connaissais les paroles d'opérettes de Gilbert
et Sullivan, ainsi qu'un nombre surprenant
de détails sur George Bernard Shaw. J'avais
achevé mes études secondaires en tête de
mon école et j'avais lu presque tout H. G.
Wells et Olaf Stapledon. Je savais couper en
quarts le pain irlandais et jouer au whist,
mais n'avais pas idée du fonctionnement
réel de la société. J'ignorais tout du travail
des autres – je n'avais jamais vu aucune
utilité à m'intéresser au travail d'autrui

puisque je pensais pouvoir tout apprendre dans les livres – et je jugeais normal que les autres ne me connaissent pas non plus.

À l'école, évidemment, j'entretenais le même genre de relations que nous tous avec mes camarades et mes professeurs, mais cela même restait circonscrit car j'avais appris à ne jamais inviter d'amis chez moi. Ainsi, aucun de mes amis ne sut jamais que j'avais été à l'école à Bâle et que j'y avais étudié en allemand. Aucun d'eux ne sut que mes parents avaient été membres du Parti communiste. Et seul un ou deux d'entre eux savait que mon père était cadre et ma mère négociante d'antiquités. Quelle que fût leur nationalité, les autres m'étaient étrangers ; et je leur restais étrangère.

Andy était la seule véritable exception. Il en savait déjà beaucoup sur moi à cette époque, et je n'avais aucune raison de douter qu'il le garderait pour lui aussi bien que je le faisais moi-même. Sur cela, comme sur tant d'autres choses, je me suis trompée. N'ayant jamais fréquenté de communauté autre que ma famille immédiate, j'avais l'impression que lui – et tout un chacun – vivait aussi isolé que moi.

Ce fut toute une révélation de réaliser qu'à ce bal, la plupart des personnes en savaient tant les unes sur les autres qu'elles connaissaient Andy et sa famille et même leur parenté à Budapest. Le lendemain après-midi, lorsque nous rendîmes visite à ses parents au collège Macdonald, quelle ne fut pas ma surprise d'entendre le compte rendu de ce que leurs amis avaient raconté sur moi par téléphone.

J'étais devenue visible. De façon soudaine, et pour la première fois de ma vie, j'avais conscience d'appartenir à un monde plus vaste. Je ne savais guère qu'en penser. Il y avait certes là quelque chose d'alarmant, analogue au fait de se retrouver sous les projecteurs de manière inattendue. C'était ma dernière année à l'université McGill, et j'écrivais des articles sur Kafka et Beckett que je trouvais intellectuellement stimulants, même si la compagnie de ces géants solitaires ne m'apportait rien d'autre que leur réconfort froid. Ce nouveau cercle social devenait donc, par contraste, d'autant plus séduisant. Ou du moins avais-je le pressentiment qu'il pourrait le devenir si seulement je parvenais à m'y faire.

Est-ce que ce n'était pas vraiment le monde du *Good Master*, ce monde où chacun savait tout de chacun ? Je ne réalisais pas encore ce que cela impliquait de promiscuité, dans le concret, et combien je me sentirais exposée quand Edit me dit à quel point ses amis m'avaient trouvée belle. « Tu avais relevé tes cheveux » me dit-elle, et je réalisai qu'on avait aussi dû commenter ma robe, mon boa, peut-être même mes gants, mais qu'Edit ne m'en dirait pas plus.

Je tentais de retrouver la mémoire à travers le brouillard des nouveaux visages de la veille. Lesquels d'entre ses amis avaient-ils téléphoné à Edit ? À quel moment de la soirée les avais-je rencontrés ? Était-ce avant qu'on serve les canapés ? Est-ce que je portais encore mes gants ? Me sentant incommodée et observée, je les avais finalement retirés.

Et de quoi avais-je parlé ? Je ne m'en souvenais plus du tout, ce qui n'était pas pour me rassurer. Je me sentais gênée et vaguement trahie. Je vivais comme une injustice que toutes ces nouvelles connaissances parlent dans mon dos. Cela me semble naïf aujourd'hui, mais à cet instant, j'avais considéré ces échanges comme des entretiens privés, et voilà que ces gens transformaient une brève rencontre en incident international. Appartenir à un monde où l'on s'intéressait à moi et s'en inquiétait au point de rapporter mes paroles, mes gestes et mon allure était aussi inattendu que le fait de danser toute la nuit.

C'était ce dont j'avais rêvé toute ma vie.

4

Nous étions en mars. Mes parents s'apprêtaient à déménager l'été suivant à Bruxelles où mon père, qui avait excellé dans son travail à Montréal, occuperait le poste de directeur médical de Pfizer Europe. Je me préparais à les accompagner.

Cela impliquait de quitter Andy, qui achevait son mémoire de maîtrise et cherchait du travail à Montréal. Nous envisagions tous deux cette perspective avec équanimité. J'étais pour ma part heureuse de retourner en Europe, certaine que c'était de là que je rayonnerais dans le monde. Je n'avais pas idée de ce que je souhaitais, mais de manière confuse, je pressentais que je devais me trouver en Europe.

Je ne poursuivais aucun plan particulier, juste le vague souhait de mener une vie d'écrivain bohème. Je n'avais qu'une vague idée de la culture européenne et une autre plus vague encore de la manière dont je ferais ma niche. Un homme y serait certainement impliqué. Je ne pense pas que j'aie véritablement formulé les choses en ces termes, et je n'avais vraiment nul désir de me marier et encore moins d'avoir des enfants, mais à présent il m'apparaît clairement que j'espérais fortement qu'un homme y serait impliqué, et de préférence un homme dans une Aston Martin. J'avais confiance que quelqu'un, pour tout dire un Européen débonnaire, saurait reconnaître mes talents et décider de mon avenir à ma place.

Tout cela n'était évidemment que pure folie, et les choses n'évoluèrent pas du tout ainsi que je l'avais si sincèrement, mais si vaguement, espéré.

Mais ce n'était pas si vague que ça en vérité. Je voulais assurément être écrivaine, et indépendante. Je n'imaginais pas devenir un jour une grande star, mais j'aimais l'idée d'être une star à ma façon, admirée pour m'être accomplie, quoi que je choisisse de faire. Cependant, si je me retourne sur la jeune fille que j'ai été, je réalise qu'il y avait plus. Je voulais avoir un salon littéraire dans une grande métropole, l'amitié des artistes et des intellectuels, une vie intrigante et excitante, une série de liaisons orageuses avec des hommes brillants, et une grande histoire d'amour.

Mon rêve était étonnamment détaillé. D'où venait-il ? En interrogeant ma mémoire pour connaître les sources de pareille ambition, je pense aujourd'hui qu'elle a puisé sa source dans des histoires, à moitié comprises, sur madame de Staël, George Sand et Lou Andréas-Salomé.

J'ai rencontré bien des hommes en France, mais pas un qui fût Européen, fût débonnaire et décidât de mon futur. Tu dois vraiment rester vigilante à tes objectifs, me suis-je dit. Cela me prit bien plus de temps que je ne l'imaginais, plus de la moitié d'une vie, mais ce qui est curieux c'est que mes désirs essentiels furent respectés et réalisés, y compris l'Aston Martin, laquelle apparaîtra plus tard dans ce récit sous la forme d'une Triumph TR6.

Je me souviens avoir pensé qu'Andy aurait dû manifester quelque signe de détresse à l'annonce de mon départ pour l'Europe cet été-là. Peut-être n'était-il pas préparé à ce que l'expression d'un engagement de sa part offre une réelle alternative. Dans tous les cas, il ne manifesta aucun signe dans ce sens.

Je quittai Montréal en juin et passai les premiers mois à Ouderghem, banlieue flamande de Bruxelles, où mes parents avaient loué une maison. Les sept membres de ma famille se trouvaient là, nous vivions loin de la ville elle-même et étions incapables de nous y retrouver sans nous faire conduire. Mon frère et moi allâmes au centre-ville, au cinéma puis dans un pub anglais, où un homme m'aborda rapidement en refusant de croire que Ian était effectivement mon frère. Brian et moi marchions à l'occasion jusqu'au bar d'un hôtel sur le bord du lac Genval. Il me parlait de la petite amie qu'il avait laissée derrière lui à Montréal, et moi je parlais d'Andy. Tandis que nous escaladions la colline sur notre chemin de retour, il chantait à pleine voix *A Whiter Shade of Pale*. Les rêves que je nourrissais ne trouvant que peu de consistance à Ouderghem, en septembre je partis pour Paris.

J'y passai six mois dans une chambre proche du jardin du Luxembourg, suivant les cours de Civilisation française à la Sorbonne, ce qui me semblait le meilleur second choix, à défaut d'un cours pour devenir une diva littéraire.

J'assurais mon toit en donnant des cours d'anglais à la fille du propriétaire, écoutant beaucoup de musique, beaucoup la même musique, puisque ma petite collection de disques ne m'offrait qu'un choix limité, et fréquentant un groupe disparate d'étudiants expatriés. Je n'avais pas le droit de travailler en France, mais gardais un œil sur les offres d'emploi, juste au cas où paraîtrait telle annonce de figurante de cinéma, ou de poste temporaire de professeur d'anglais à Tunis. Je passais la majorité de mon temps à écrire de la poésie et à explorer la ville et ses musées. J'étudiais les visages des Parisiens dans la rue, cherchant le moindre signe qui prouverait qu'ils avaient conscience de leur chance de vivre dans cette ville.

J'étais à peine installée quand Andy décida que je lui manquais. Il avait passé un été décevant auprès de ses parents sur le campus de Macdonald, mais avait obtenu un poste d'enseignant au collège Loyola juste avant le début du semestre, si bien qu'il avait loué un appartement en ville, rue Tupper. Il commença à m'envoyer de longues lettres que la concierge, une Portugaise à l'air anxieux, déposait à la porte de ma chambre sous les toits. Dans une de ses lettres, il me demanda de revenir à Montréal, puis parla d'une nouvelle chanson qu'il aimait. Le lendemain, un mince paquet se trouvait à ma porte. Il m'avait envoyé le disque, lequel était arrivé en morceaux. Lorsque je le lui dis, il m'en expédia un autre. Je le dégageai sous des couches et des couches de papier et de carton et l'écoutai enfin sur mon tourne-disque bon marché. La chanson s'intitulait *Si tu crois en l'amour*.

J'étais heureuse et flattée. La déclaration était impressionnante, il me fallait bien l'admettre. Je la pris pour un dû et remerciai Andy, mais je ne ressentais aucune urgence de réciprocité. Amoureuse, je l'étais par-dessus la tête avec Paris, avec ma bohème, et avec l'idée de devenir écrivain. Sans mentionner que j'avais l'œil sur l'un des expatriés que je fréquentais.

Qu'est-ce qui changea ? L'hiver s'installa. J'écrivais en abondance, mais je ne parvenais pas à me convaincre moi-même de la qualité de mes écrits. Je décidai de récrire et de recorriger, ce que je trouvais laborieux et même décourageant. L'enseignement à la Sorbonne consistait en longs et pénibles cours magistraux sans opportunité de discussion. Le cours que je donnais moi-même était assez facile, mon élève agréable et intelligente, mais cela ne menait assurément nulle part. Ma candidature n'avait été retenue à aucun des autres postes que j'avais sollicités. Je me sentais sans but et de plus en plus sans ressources. Et enfin, l'expatrié qui m'intéressait quitta Paris et ne m'écrivit pas.

Je finis par croire qu'il n'avait pas écrit. Pendant un certain temps, en janvier, il n'y eut plus de lettres à ma porte. Après des semaines de silence, ma perplexité fut telle que je frappai à la porte de la concierge, au rez-de-chaussée, et lui demandai poliment si vraiment rien n'était arrivé pour moi, lui laissant ainsi entendre qu'en réalité j'attendais du courrier. Elle me jeta un regard que je fus incapable de décrypter, et répliqua sèchement qu'il n'y avait pas eu de lettres. Ce n'est qu'un an plus tard que j'appris que mon ami expatrié m'avait effectivement écrit, mais alors nos chemins avaient divergé.

La vérité ne m'apparut que beaucoup plus tard. En réalité, vingt ans plus tard, alors que nous vivions en Hongrie, où Andy savait exactement à qui distribuer des pourboires, dans quel but et à quel prix ; je restai toujours impressionnée par sa facilité à négocier la vie en pays étranger, du moins étranger pour moi. C'est dans ces circonstances que je réalisai soudain que ma concierge parisienne avait dû attendre un pourboire* de ma part et qu'après Noël, ne voyant aucune récompense pour ses services rendus, elle avait dû jeter mon courrier aux ordures.

Avec le temps, parce que j'en avais vu et appris suffisamment, principalement auprès

---

* Les traditionnelles étrennes du Nouvel An constituent un code d'appartenance sociale parisienne. (N.D.T)

d'Andy, il me sembla tout à fait évident que j'aurais dû récompenser la concierge, et je fus honteuse que cette pensée n'ait jamais traversé mon esprit auparavant. Cela expliquait les éclairs de méchanceté dans son regard. Pourquoi n'avais-je pas su les interpréter ? Pourquoi ne m'étais-je pas au moins enquis auprès de quelqu'un pour savoir ce qui diable se passait ?

La réponse était pourtant simple. Je n'en savais pas assez pour comprendre qu'un problème pouvait exister. Je venais d'un monde où personne n'attendait d'une jeune fille de vingt ans, en jeans et cheveux longs, qu'elle donne un pourboire à la concierge. Je venais d'un monde où il n'existait pas de concierge, et je n'avais pas la moindre idée de ce que cela pouvait représenter d'être une concierge portugaise à Paris. Elle m'avait paru installée, voire établie, surtout en comparaison avec mon propre sentiment de déracinement. Ma propre vie ne me permettait pas de comprendre son mécontentement. Et j'avais dû, pour ma part, lui apparaître comme une Nord-Américaine privilégiée.

C'est elle qui avait raison et moi tort. Il est vrai que j'avais vécu tous ces mois à Paris très chichement, mais elle n'en avait pas moins fondamentalement raison. J'aurais pu trouver quelques francs pour lui témoigner

de ma gratitude si seulement j'avais compris
qu'elle attendait un pourboire. Il était
évidemment trop tard pour m'amender à
l'époque où je finis par comprendre ce qui
s'était passé. Encore une chose à marquer
à la craie sur le tableau de l'ignorance et de
l'inexpérience ; le contact avec des étrangers
apprend l'humilité. La vie rend humble.
Pour ma part, j'aurai certainement passé ma
vie à être humble, ici à Montréal presque
autant qu'à Paris et en Hongrie. Et encore
aujourd'hui, quand il m'arrive de repenser à
toutes les bourdes commises, je ne sais plus
où me mettre.

Les lettres d'Andy ne me parvinrent pas
non plus pendant un temps, ce même hiver-
là. Cela m'inquiétait moins car j'étais sûre
de lui. Il avait été accepté pour obtenir son
doctorat au LSE, la réputée école d'études
économiques de Londres, où il s'installerait
donc dès octobre. Nous nous étions même
parlé au téléphone alors que je me trouvais
à Bruxelles pour les vacances. Est-ce à ce
moment-là que j'ai décidé de retourner
auprès de lui à Montréal ? Est-ce que je l'ai
vraiment décidé en ces termes ? Je ne suis
pas sûre qu'il y ait jamais eu de doute sur le
fait que je retournerais vers Andy.

À la fin de février, je débarquai à Dorval
et m'installai avec Andy dans son petit
appartement de la rue Tupper. Aucun de
nous ne réalisait vraiment l'importance
de cette démarche, ni combien d'années
celle-ci nous conduirait à passer ensemble,
mais il nous apparaissait déjà clairement
que je le suivrais à Londres dans le même
mouvement.

J'avais souvent quitté Montréal, mais j'y
étais toujours revenue. C'est la ville où je
me sens le plus chez moi, la plus humaine
et la plus agréable de toutes les villes que
j'ai connues. Et j'aime les villes ; j'y ai passé
mon enfance, et je m'y sens autant à mon
aise qu'Andy dans une existence rurale.

Montréal reste à échelle humaine tout
en restant une grande cité, suffisamment
grande pour contenir multitude de théâtres,
d'orchestres, de festivals, de bons restaurants
et toutes ces facilités que l'on aime avoir à
sa disposition, même si on ne nourrit aucun
intérêt particulier à leur encontre. Une cité
qui a conscience de sa place sur la carte
mondiale, dotée d'une identité propre, à
la fois ironique et hésitante. Montréal reste
humaine dans ses contradictions, le mixage
des peuples et des langues, par sa reconnaissance de la fragilité autant que du besoin de
s'amuser de ses habitants.

Le lendemain de mon arrivée, une imposante chute de neige jeta sur la ville un manteau de silencieuse immobilité. Andy et moi parcourûmes la rue Sainte-Catherine sur toute sa longueur, révélée par l'absence de circulation et la blancheur de la neige fraîche, et par cette journée où il n'y avait rien d'autre à faire qu'à accepter. J'étais heureuse d'être revenue à Montréal. Nous étions heureux tous les deux, heureux d'être à nouveau réunis et d'échafauder des plans d'avenir.

Nous avions besoin d'argent. Je trouvai assez vite un travail comme secrétaire de la compagnie d'informatique Honeywell, située au coin de la rue University et de ce qui était encore la rue Dorchester, à présent devenue le boulevard René-Levesque. J'étais bien consciente que cela constituait tout un recul par rapport à la bohème dont je rêvais. Ma force, en plus de l'intérêt d'un travail rémunéré, venait de ce que cet apprentissage de la dactylographie me permettrait toujours de trouver un travail de secrétariat. Mais là résidait aussi ma faiblesse ; il m'était trop facile de trouver pareil emploi, où je m'ennuyais, et je n'avais jamais vraiment fait l'effort de chercher des alternatives plus intéressantes.

Honeywell remplissait bien son rôle de bouche-trou ; je vernis mes ongles, achetai une minijupe neuve et des chaussures à talons hauts. Mon patron, un homme marié dans la quarantaine, m'appela dans son bureau à deux reprises. La première pour m'offrir une formation de programmatrice informatique, la seconde pour me proposer un rendez-vous. Dans les deux cas, je le regardai avec incrédulité avant de refuser.

Andy obtint un prêt bancaire juste avant notre départ en septembre, mais malgré ce coussin, nous n'avions pas grand-chose à nous deux lorsque nous prîmes l'avion pour Londres. Ce fut tout un vol. C'était en 1971, et l'avion était rempli de jeunes gens qui partaient en Europe pour voyager ou étudier, ou les deux. Il était aussi saturé de fumée de marijuana. En ce temps-là, fumer à bord était permis ; je ne sais pas du tout si certaines restrictions s'appliquaient explicitement au pot, mais si tel était le cas, le personnel de bord les ignorait joyeusement. Nous étions tous répandus dans les allées et discutions avec les autres passagers.

Je me souviens de l'un d'eux, Julius Grey. Je l'ai revu des années plus tard lors d'une soirée à Montréal ; entre-temps, il était devenu un avocat distingué, et moi je publiais la revue *Matrix*, que lui et sa femme Lynne admiraient. Elle et moi sommes devenues amies et avons travaillé ensemble, des années plus tard, pour la Quebec Writers' Federation. Julius se souvenait très bien de ce vol.

Cette nuit-là, Julius était en route pour Oxford, et Andy et lui s'étaient engagés dans un long débat sur la signification des événements hongrois de 1956. Lui-même Polonais, Julius arguait qu'il s'agissait d'une contre-révolution, tandis qu'Andy soutenait que c'était une révolution. Les idées politiques d'Andy changèrent radicalement pendant notre séjour à Londres, mais jamais il ne démordit de cette opinion. J'ai assisté à un nombre incalculable de débats politiques entre Hongrois de diverses opinions, au point que j'avais fini par comprendre ce qu'ils disaient. Il me reste encore à rencontrer un Hongrois qui ose contredire Andy sur le fait que 1956 a bien été une révolution.

5

Notre vraie vie commença à Londres, et cette première année fut difficile. Ce fut une réelle épreuve car nos ressources se révélèrent rapidement trop maigres, en même temps que nous connûmes nos premières difficultés relationnelles. Aucun de nous n'était vraiment apte à gérer ce genre de choses.

Nous louâmes un deux pièces sous les combles dans le quartier de Muswell Hill à un couple qui nous parut âgé, et en effet, l'homme mourut durant l'hiver. Sur le palier se trouvait un réservoir d'eau chaude auquel nous pouvions nous approvisionner de temps à autre, ainsi qu'un compteur d'électricité que nous alimentions avec des shillings. De toute façon, combien de shillings que nous mettions, le chauffage – fourni par un misérable radiateur à deux lattes –, restait tout à fait insuffisant, aussi faisait-il plus froid dedans que dehors, tout l'automne puis tout l'hiver durant.

Si vous vous rapprochiez du radiateur pour le moindrement sentir la chaleur, vous

vous brûliez ; si vous vous en écartiez, même le moins possible, vous geliez. L'immeuble ne bénéficiait évidemment d'aucune espèce d'isolation, les Anglais nourrissant, à cette époque, une confiance irrationnelle en les effets réchauffants du Gulf Stream. Dans chaque pièce se trouvait une petite fenêtre aux linteaux si mal ajustés que les draps de coton battaient au moindre coup de vent. Lorsque novembre arriva, nous déplaçâmes notre matelas dans la pièce où se trouvait le radiateur. Habillés de pied en cap, mitaines aux mains, chaussettes épaisses aux pieds et couvertures rabattues sur nos têtes, nous écoutions les battements d'ailes et les roucoulements des pigeons nichés sous les avant-toits.

Nous savions jusqu'au dernier penny à quoi nous destinions notre argent, par stricte nécessité et non par parcimonie. Nous ne pouvions nous offrir plus que le plus strict nécessaire, pas même un quotidien à cinq pence, sans parler d'un magazine et encore moins d'un livre.

Une fois par semaine, nous faisions nos courses dans Muswell Hill. Nous allions toujours chez le charcutier, seul détaillant qui offrait des saucisses de Debreceni et de la crème sure. Celui-ci mis à part, nous n'étions

fidèles à aucun magasin, achetant notre
viande hachée, aliment le plus dispendieux
de notre liste, à l'endroit où il était au
meilleur prix cette semaine-là. Le jour des
courses, Andy nous cuisinait du foie de porc
aux petits oignons, à l'ail et au paprika.
Les trois jours suivants, nous mangions des
spaghettis à la sauce à la viande puis, pendant
les trois derniers jours de la semaine, du
paprikás krumpli, un ragoût de pommes de
terre et de saucisses. Il n'est donc pas très
surprenant que ces plats me soient sortis
par les yeux pour le reste des trente années
qui ont suivi cette première année passée
à Londres. Le samedi soir, nous allions au
pub où travaillait Miranda, la fille de notre
propriétaire, mais ne pouvions nous offrir
qu'une demi-pinte de bière chacun, que
nous sirotions aussi longtemps que possible
avant de retourner dans notre appartement
glacial. Cette sortie constituait notre unique
divertissement hebdomadaire.

Un aspect de l'épreuve, et non la
moindre, était de nous habituer l'un à
l'autre. Bien que nous ayons tous deux déjà
vécu à l'étranger, jamais auparavant nous
n'avions été si totalement coupés de tout
contact familial ou amical. Nous étions notre
seule compagnie mutuelle, les circonstances

nous ayant jetés l'un contre l'autre à un degré extraordinaire. Cela aurait réellement pu signer la fin de notre relation. Mais c'est peut-être justement ce qui explique que nous soyons restés ensemble si longtemps.

J'écrivais toujours autant, mais avec une satisfaction nettement moins grande que l'année précédente, à Paris. Je caressais l'idée d'être écrivain, mais sans avoir vraiment grand-chose à dire, et en sachant encore moins comment m'y prendre pour l'exprimer. J'écrivais des poèmes, mais n'en lisant que rarement, je n'avais qu'une faible compréhension du processus poétique. La poésie ne m'intéressait pas vraiment, et je me demande bien pourquoi je m'obstinais à vouloir en produire. Je lisais principalement de la fiction, mais une fiction tellement éloignée de ma propre expérience que je me voyais mal en transposer le style ou la forme pour formuler ce que j'aurais pu vouloir énoncer.

Me décider à écrire en prose représenta un progrès déterminant. J'avais toujours écrit des lettres, principalement à Margaret, mon amie montréalaise, mais c'était juste pour rire. J'abordais enfin la prose avec sérieux. J'admirais Virginia Woolf, en particulier *La promenade au phare*, et décidais donc de commencer à écrire dans un style similaire au sien. Le collège Morley offrait un cours de création littéraire, gratuit ou presque – c'était un collège pour la classe ouvrière –, dont le principal avantage était de m'obliger à achever un écrit chaque semaine.

C'est la première démarche vraiment constructive que j'aie jamais entreprise pour devenir écrivain, mais, malgré toute ma reconnaissance pour notre instructeur, je restais impatiente. La vie dont j'avais rêvé incluait l'amour mais également l'accomplissement littéraire. Devoir dormir en chaussettes et en mitaines constituait une forme de déception ; ma carrière littéraire moins-que-brillante m'en infligeait une tout autre. L'automne progressant, je me trouvais confrontée à la nécessité pratique de faire quelque chose de ma vie, ce qui me poussa à remplir une demande d'études post-universitaires sur Samuel Beckett, au collège Queen Mary de l'université de Londres.

J'étais mal avec moi-même, et cela devait contribuer à ce que je me sente si malheureuse avec Andy. Il s'en était beaucoup passé depuis le bal hongrois. Si j'avais pu être attirée par ses liens avec la communauté hongroise, et je l'avais été, je n'en demeurais pas moins ambivalente, ne m'habituant pas vraiment à intégrer un monde d'une telle cohésion. Le problème résidait dans le fait qu'Andy ne partageait pas du tout mon sens de la privauté, au point que j'appris avec horreur qu'il avait livré – par exemple à ses parents, mais aussi à d'autres membres de sa famille – des informations personnelles que j'avais réservées à lui seul. Un tel comportement relevait selon lui de la normalité. Mais pas pour moi.

J'ai toujours éprouvé de la difficulté à savoir exactement ce que je pouvais tolérer ou non. À cette époque, je ne m'y étais même pas encore essayée. J'étais convaincue qu'Andy devait savoir ce qui posait problème, sans que je doive en parler. Cela, bien sûr, ne fit que renforcer nos difficultés. Je pensais de plus que je devais résoudre mes problèmes directement avec Andy et qu'il serait déloyal de me plaindre de lui à un tiers. Personne, ni Margaret ni aucun autre membre de ma famille, ne sut à quel point les choses allaient mal cet automne-là.

Andy se débattait avec ses propres problèmes – avec son directeur de recherche, ses convictions politiques, ses parents –, et n'avait ni le temps ni la patience de composer avec ma tristesse. Toutefois, le temps passant, et nos ressources, déjà maigres, diminuant à chaque shilling introduit dans le compteur d'électricité, il devint financièrement dépendant de moi. Comme sujet britannique né à Belfast, je pouvais prétendre à travailler au Royaume-Uni, ce que le Canadien qu'il était ne pouvait pas.

Je ne sais si quelqu'un à l'époque aurait qualifié cela de malsain, ni si ce terme était simplement en vigueur il y a trente ans. Si j'avais eu un quelconque alternative, je serais probablement partie cette année-là. Je n'en avais, ou peut-être n'en voyais, aucun. Toujours est-il que je suis restée.

Rentrer *chez moi* ne représentait pas une option possible. D'abord je ne savais pas où se trouvait ce *chez-moi*. Et de toute manière, où qu'il fût, ce n'était pas un lieu pour moi.

Mon père avait fait une dépression – apparemment liée à l'ampleur de sa charge professionnelle à Bruxelles – et avait été muté à Nairobi, lieu d'affectation relativement tranquille dans la planète Pfizer Inc. Cela représentait un changement si radical, et si alarmant pour mes parents, qu'ils m'avaient téléphoné à Montréal au cours de l'été précédent pour me demander de les accompagner.

Ils connaissaient bien sûr Andy pour l'avoir vu des douzaines de fois à Montréal, ils n'ignoraient pas que je vivais avec lui et que je planifiais de le suivre à Londres, mais rien de tout cela ne les dissuada ; ils utilisèrent toute une artillerie de moyens de pression pour que je l'écarte et reste avec eux. C'est tellement loin, me disaient-ils. Notre famille doit rester unie. Dès lors, tu dois venir nous aider.

J'étais suffisamment sensée pour savoir que ce plan ne me concernait en rien. J'avais essayé de vivre *en famille** à Ouderghem, et je savais que cela ne fonctionnerait pas. J'avais également lu trop de romans victoriens remplis de filles qui sacrifiaient leur bonheur par égard pour leurs parents. Aussi difficile que fût parfois ma vie avec Andy, elle restait infiniment préférable au fait de vivre avec mes parents. Et quels que soient mes problèmes avec Andy, je ne pouvais me confier à eux, de peur qu'ils ne se sentent ainsi encouragés à me presser de les rejoindre.

En revanche, quand ils insistèrent pour payer mon billet pour Nairobi à Noël, j'acceptai volontiers.

Andy et moi nous sentions pareillement isolés. Il avait subi au moins autant de

---

*   En français dans le texte. (N.D.T.)

pressions que moi, bien que de source différente. Je n'ai pas du tout mesuré l'ampleur
de sa fragilité émotive, qui persista pourtant
pendant presque toute cette première année
de vie commune à Londres.

La pression majeure venait de son
directeur de recherche du LSE, Peter Wiles ;
Andy lisait et écrivait en abondance dans le
but de produire un mémoire qui impres-
sionne ce dernier. L'étude de l'économie
politique de la Hongrie d'après-guerre le
conduisit cependant à réviser ses propres
positions politiques au complet. Il entra dès
lors en conflit avec ses parents, fervents anti-
communistes comme la plupart des émigrés
hongrois.

Quant à ma propre influence sur les
idées politiques d'Andy, elle fut, je crois,
infime, en termes de véritables arguments
que j'aurais pu réunir, mes connaissances
politiques s'avérant plus qu'incomplètes.
C'est moi qui en apprenais d'Andy, et nous
discutions sans cesse du Vietnam, de l'Union
soviétique, de la Hongrie, de la politique
anglaise et, de plus en plus, des différences
du socialisme britannique. Cependant,
le fait qu'il m'ait choisie, connaissant les
accointances communistes de mes parents
ainsi que ma propre sympathie pour la
gauche, aurait pu donner une première
indication des divergences de vues entre

Andy et ses parents. Edit et Bandi avaient certainement été consternés de découvrir les opinions politiques de mes parents, Andy s'étant bien sûr chargé de les informer de cette partie de mon histoire. Les lettres qui leur parvenaient de Londres les mettaient désormais au désespoir.

Edit, tapant des lettres sur sa machine à étiqueter durant ses heures de travail à la bibliothèque du collège Macdonald, expédiait chaque semaine à Andy une petite pile de cartes de catalogue noircies de reproches, lui rappelant, en caractères minuscules, les injustices des communistes envers sa famille et les irréparables dommages faits au monde dans lequel elle avait grandi. À défaut de pouvoir lire ces lettres – Andy correspondait avec ses parents en hongrois – j'avais droit à une brève mise à jour après chaque nouvel épisode. Il rédigeait de longues réponses à Edit, jusqu'à ce que son père, à travers de longues lettres écrites à la main, mette tout son poids dans la balance dans l'espoir de mettre un terme aux écrits insensés d'Andy.

L'argent demeurait notre souci commun. Je devrais certainement trouver un travail, à n'en pas douter une place de secrétaire, à mon retour de Nairobi. Nous avions tous deux déposé des demandes de bourses, dont nous ne connaîtrions pas l'issue avant de longs mois ; et quand bien même nos bourses nous seraient accordées, il faudrait encore plusieurs autres mois avant de recevoir le chèque.

Entre-temps, l'automne touchait à sa fin, et Andy prévoyait se rendre en Hongrie : ce serait son premier retour depuis que sa famille avait fui lorsqu'il avait onze ans. Nous quittâmes Londres pratiquement en même temps, lui pour Budapest, moi pour Nairobi.

Ces deux mois passés au 1, avenue Ngong furent de loin les plus agréables jamais vécus avec ma famille. La présence d'un domestique, Congo, qui vivait dans l'enceinte familiale à l'arrière de la maison, y contribuait, sans parler de celle du jardinier. Ainsi déchargée des tâches ménagères qui me revenaient d'ordinaire, j'étais libre d'être la grande fille venue de Londres en visite. Mes relations avec mon père étaient à leur meilleur ; il avait de fait changé d'attitude, décidé à me faire passer du bon temps. Sa tâche, mal dissimulée, était de me persuader de rester.

Ma mère me fit faire la tournée des magasins asiatiques qu'elle avait découverts, me familiarisant avec les *samosas* et les *poppadoms**, et m'offrit une ravissante jupe longue en coton africain ainsi que des sets de table en feuilles de banane séchées, que je possède encore aujourd'hui. Mes frères me prêtèrent des livres, et me conduisirent dans un parc animalier situé en banlieue de la ville, à Karen (le village masaï où habita Karen Blixen), ainsi qu'à la campagne. Mes parents m'emmenèrent déjeuner au Nairobi Club. Mon père prit sur lui de planifier un long voyage sur la côte pour lui, ma mère et moi. D'aussi loin qu'il m'en souvienne, rien de tel n'était jamais arrivé auparavant. Par le passé, j'étais toujours celle qui restait à la maison pour s'occuper des tâches ménagères.

Nous descendîmes vers Tsavo, immense réserve de chasse qui s'étendait sur des milliers de milles à l'est de Nairobi, où mon père énerva une femelle éléphant qui protégeait son petit, ce qui nous obligea à déguerpir en vitesse. Nous nous arrêtâmes à Mombasa le temps de prendre le pouls et de humer les parfums fabriqués dans ses rues étroites, puis filâmes droit au nord, vers la côte. Nous passâmes une semaine dans un motel de Malindi, où je passai mon temps

---

*   Feuilletés et pains indiens à la viande et aux légumes. (N.D.T.)

à plonger et à marcher le long des plages désertes pour ramasser des coquillages. Pour une jeune fille qui avait quitté Londres sans le sou – je crois que j'étais partie avec un grand maximum de vingt livres, qui me durèrent pendant les deux mois passés en Afrique – c'était vraiment une bonne vie.

Trop belle pour être vraie, en fait. Entre-temps, Andy se trouvait seul à Londres, et j'avais les plus grandes difficultés à convaincre mes parents de me laisser repartir.

Andy avait été éprouvé d'une manière différente par son séjour en Hongrie, et les semaines qui suivirent son retour à Londres le plongèrent dans une crise émotionnelle. Il avait déjà perdu du poids et travaillé trop fort pendant tout l'automne précédent. Je ne sais pas comment il survécut pendant les semaines qui suivirent son retour pour le Nouvel An.

Il avait vécu chez sa cousine Vera à Budapest, et avait sans doute fort peu dépensé – la nourriture étant bon marché en Hongrie –, mais tout l'argent qui nous restait se trouvait à présent déboursé. Il m'écrivait fiévreusement. Je le savais dans un curieux état d'esprit, mais ce n'est qu'en rentrant que je mesurai vraiment l'étendue de sa pauvreté et de sa fragilité émotive.

Dans mes lettres, je lui laissai entendre toute la pression que mes parents mettaient sur moi pour m'inciter à rester à Nairobi, et cela eut pour effet de le galvaniser. Quand vint le mois de février, ses lettres manifestèrent une urgence croissante. Il finit par m'envoyer un télégramme pour me demander de rentrer à Londres, et ce fut mon frère qui prit l'appel lorsqu'on nous téléphona au 1, avenue Ngong. L'envoi d'un tel télégramme me semblait un geste bien romantique, analogue au fait d'envoyer, puis de renvoyer, une chanson d'amour par la poste, et je préférais cet Andy romantique à celui, dénué d'attention et de considération, avec lequel j'avais dû composer par moments pendant nos derniers mois de vie commune. Cela m'apporta aussi une aide tangible dans ma tentative de m'extirper de là. Après l'arrivée du télégramme, mon père cessa de m'expliquer pourquoi je devrais rester avec eux.

Samir Nassif, un médecin égyptien qui travaillait pour Pfizer au Caire, nous rendit visite en février, et m'invita à passer une semaine dans sa famille sur mon chemin de retour vers Londres. Je fus heureuse d'accepter ; je voulais vivre ma vie et n'étais vraiment pas pressée de retourner vers le monde réel, sachant trop bien que je devrais trouver un travail qui ne me plairait pas.

Ce n'est que lorsqu'Andy vint me chercher à l'aéroport de Heathrow – il ne me restait alors guère plus qu'un shilling en poche – que je pris enfin conscience de son état. Il était maigre et anxieux. De plus, nous devions six semaines de loyer à notre logeuse, une somme intimidante que nous mettrions des mois à acquitter.

Les mois suivants furent lugubres. Je trouvai assez facilement du travail, dès le début du mois de mars, comme secrétaire du directeur des ventes de l'agence d'emploi temporaire Manpower. Je n'aimais pas ce travail, et mes gains n'améliorèrent guère notre situation financière jusqu'à ce que nous finissions par rembourser notre dette à notre propriétaire l'été suivant. Pendant ce temps, Andy écrivait frénétiquement tout en continuant à perdre du poids. Quel que fût l'effet que Budapest avait produit sur lui, ce séjour avait entamé sa sérénité et mettait à mal sa santé. Et c'est alors que le plafond nous tomba sur la tête.

Les pigeons avaient été nos compagnons de roucoulades depuis que nous avions emménagé dans ce grenier de Muswell Hill. Un passage devait exister dans le toit, qui expliquait qu'ils fussent déjà nichés là à notre arrivée, certainement depuis plusieurs années.

Avec le printemps, ils devinrent plus actifs et plus bruyants encore, voletant et se poursuivant alentour. C'est à peu près à cette époque que nous avons remis notre matelas dans notre chambre à coucher. Nous avions l'habitude de rester allongés le matin, en essayant d'imaginer ce qui pouvait bien se passer au-dessus de nos têtes. Il y eut une semaine où nous eûmes l'impression que leurs œufs venaient d'éclore, tant ils semblèrent soudain plus nombreux. De grands coups commençant à se faire entendre à intervalles réguliers, nous en déduisîmes que les bébés pigeons apprenaient à voler.

Nous étions endormis ce samedi matin vers six heures, lorsque le plafond s'effondra sur nous, dans un effroyable fracas de plâtre et de pigeons tourbillonnant dans un mélange de poussière, de fientes et d'ailes arrachées. Je ne me souviens pas comment nous sommes sortis de la chambre, mais nous y sommes parvenus, et heureusement sans aucune blessure. Nous ne nous sommes pas attardés autour des pigeons.

Le plafond ne fut jamais consolidé. Après que tout fut nettoyé, on se contenta de colmater le trou à l'aide de quelques sacs en plastique. Il était temps de partir.

Ma candidature à l'université de Londres avait été acceptée, et nos demandes de bourse d'études avaient également reçu une réponse favorable. Nous pouvions dès lors nous en sortir. De plus, Andy réussit à obtenir un fonds de recherche qui paierait son séjour en Hongrie l'été suivant. Quant à moi, je réussis à économiser assez pour quitter mon emploi et le rejoindre à Budapest au milieu de l'été, avant le début du semestre.

Ian, mon frère aîné, était arrivé de Nairobi au printemps, avec dans ses bagages des mois de provisions de café kényan et de magnifiques dessous-de-table en coton imprimé. Il partagea notre quotidien jusqu'à ce qu'Andy et moi retournions au Canada en 1974. Notre petit deux pièces n'était même pas suffisant pour nous deux ; un espace plus grand nous était devenu indispensable.

Nous étions alors en assez bons termes avec un autre couple d'étudiants, Rob Woodside, originaire de Pointe-Claire, et sa petite amie Barbara, pour imaginer de partager avec eux un appartement plus spacieux. De leur côté, eux-mêmes connaissaient un groupe de musiciens rock qui cherchaient également un endroit pour vivre avec leurs petites amies. C'est Andy et moi qui trouvâmes la maison que nous louâmes à un couple qui retournait en Inde pour quelques années. Au début de cet été 1972, nous emménageâmes sur la colline de Crouch End, au 52 Priory Road. Ian, Andy et moi partagions les deux étages supérieurs avec Rob et Barbara, tandis que les autres occupaient le rez-de-chaussée.

Ce fut une excellente initiative. Andy et moi vécûmes heureux ensemble, et avec nos compagnons, au 52 Priory Road, pendant les deux années suivantes.

6

Je me sentis aussi dépendante qu'un enfant en franchissant la frontière austro-hongroise en ce mois d'août. Le beau-frère d'Andy, Szabolcs, et son épouse anglaise Angela m'avaient conduite en voiture jusqu'à Vienne. Nous avions roulé pendant deux ou trois jours, puis ils m'avaient déposée à la Westbahnhof (gare de l'ouest) de Vienne, où je devais prendre le train pour Budapest. Andy avait tout organisé avant de quitter Londres, et j'étais contente qu'on s'occupe de moi.

C'était bien avant l'invention du fax et du courriel, mais j'ai bien dû chercher à téléphoner à un moment donné. Andy connaissait le jour de mon arrivée mais, pour je ne sais plus quelle raison, je devais lui préciser l'heure. Je réalise que ce matin même, alors que je suis assise là à écrire et à me souvenir des détails alors que je viens de lire un courriel attristant de sa part, je pourrais être portée à grossir certaines choses, et à attribuer la faillite entière de notre mariage dans le seul fait qu'il ne soit pas venu m'accueillir à mon arrivée à Budapest. Mon chagrin pourrait m'entraîner à faire cette lecture *a posteriori*.

Il se peut que ce soit moi qui n'aie pas précisé à Andy dans quel train je serais : j'ai souvenir d'avoir demandé l'aide d'Angela dans le but d'appeler à Budapest à partir d'une cabine téléphonique à Munich. Peut-être n'y étais-je pas parvenue. Courriel et cellulaire n'existaient pas encore. Andy habitait chez sa cousine Vera, et peut-être qu'il n'y avait personne quand j'ai appelé ; elle ne possédait certainement pas de répondeur.

J'avais déjà rencontré Vera et l'avais appréciée. Les parents d'Andy l'avaient invitée l'été précédent à Sainte-Anne-de-Bellevue, ce qui, étant donné la pauvreté de la parenté hongroise, signifiait qu'ils avaient mis à contribution leurs maigres ressources pour lui payer le voyage ainsi que ses dépenses personnelles sur place. Notre entente fut immédiate et nous passâmes du temps ensemble, communiquant avec un peu d'allemand, et beaucoup de signes et de rires. Elle était grande, spectaculaire et sexy, avec une abondante chevelure blonde, des ongles peints et une énorme bague bleue translucide qu'elle avait fait fabriquer pour l'occasion.

Elle savait ce qui était important et ce qui ne l'était pas. Ce qui importait c'était l'amour et le plaisir, et lorsque l'une de nous commençait à se plaindre, l'autre disait « ça n'a pas d'importance ». *Nem fontos.* Pas important. L'essentiel restant de savoir différencier ce qui était important – *fontos* – de ce qui ne l'était pas. J'avais hâte de revoir Vera.

Quelle qu'en soit donc la raison, Andy ne se trouvait pas à la gare pour m'accueillir, et je dus donc me débrouiller seule pour trouver mon chemin depuis la gare, située à Pest, jusqu'à l'appartement de Vera, situé à Buda, à l'autre bout de la ville. J'avais une adresse, mais pas de plan ni de moyen de déchiffrer les instructions pour me servir d'une cabine téléphonique. Peut-être que ce n'était finalement la faute de personne et que les choses se combinèrent ainsi.

Ce n'est pas important. *Nem fontos.* L'important est qu'il ne me soit rien arrivé de mal. Voilà ce que je devrais penser, plutôt que de nourrir des ressentiments trente ans après.

Rien de mal. Andy n'était pas là, j'ai cherché de l'aide et j'en ai trouvé, ce qui m'a permis de vivre une petite aventure à travers tout cela. Il est possible que ce fût justement ce que je souhaitais.

Mon arrivée fut à l'image de toute ma relation à la Hongrie, et de ma vie elle-même. Tellement déconcertante, remplie de craintes, d'expectatives et d'une bonne part de risque. Je me suis toujours vue comme une personne calme, terre-à-terre et pleine de ressources. Même dans ma jeunesse, et même dans mon enfance, je me suis toujours vue comme une vieille sage, adulte et responsable. Et j'étais tout cela en vérité, et à un degré inhabituel.

Il y avait cependant autre chose, dont je n'avais pas conscience à cette époque. Quand je pense à la personne que j'étais à six, quinze, vingt-deux ou quarante ans, je me vois comme une enfant. Ce qui me frappe à présent, ce n'est pas mon indéniable maturité, ni le calme évident avec lequel j'appréhendais le monde. Calme, je l'étais réellement. Mais ce n'était qu'une partie de l'affaire. Rester calme me permettait de faire face. Le calme succédait à la stupé-faction. J'ai passé une grande partie de ma vie émotive, et donc de ma vie véritable, dans un état d'émerveillement.

La Hongrie demeurait impénétrable pour quelqu'un de l'extérieur, d'autant que la Hongrie de l'ère communiste constituait à maints égards une société fermée, peu habituée aux étrangers, de sorte que je me sentis doublement déconcertée de me retrouver ainsi perdue dans Budapest, en cet après-midi du mois d'août. J'avais souvent entendu parler hongrois autour de moi ; j'avais même retenu quelques mots, voire quelques phrases ; j'étais intelligente et j'avais une expérience du voyage peu commune pour mon âge, puisque j'avais vécu à Belfast et à Londres, à Bâle et à Montréal, à Bruxelles et à Paris. Et voilà que, aussitôt descendue du train à la gare du nord, je me perdais dans la Budapest entreprenante de cette ère communiste prospère et bien nourrie.

Aussi vivace, sinon passablement effrayante, qu'incroyablement accueillante. Une jeune fille voyageant seule en Hongrie était chose si rare qu'une matrone hongroise s'était intéressée à moi dans le wagon du train. Elle parlait allemand, et j'avais réussi à déterrer suffisamment de cette langue rouillée de mon enfance pour lui raconter une partie de mon histoire. Une fois que je lui eus montré l'adresse de Vera à Németvölgyi út – je n'arrivais même pas à prononcer le nom de la rue – et qu'il fut

clair que je ne saurais jamais traverser la
ville toute seule, cette femme maternelle
monta avec moi dans un taxi et me déposa
à la porte de Vera.

La course fut longue depuis la gare.
Nous traversâmes d'abord Pest vers le sud,
par la basse ville, puis franchîmes le Danube
avant de rattraper un vaste boulevard qui
montait raide jusqu'à un immeuble situé au
coin d'une petite place. Ma compagne sortit
alors de la voiture, trouva la bonne sonnette,
puis patienta à mes côtés jusqu'à ce qu'Andy
apparaisse enfin.

Il fallut s'engouffrer dans un ascenseur
minuscule et sombre, dont l'espace permettait à peine de refermer les portes de
bois sur Andy, ma valise et moi. Il appuya
sur l'un des gros boutons noirs, et la
machine s'ébroua avec force grincements
et autres embardées. Au cinquième étage,
nous émergeâmes sur une sorte de balcon
qui prolongeait les murs de l'immeuble
– chaque étage possédait un tel balcon
suspendu au-dessus d'une cour – nous nous
frayâmes un chemin à travers un amoncel-
lement de chaussures et de parapluies, de
géraniums et de légumes, de bouteilles et
de récipients à vaisselle. Andy poussa une

porte au bout du balcon et me précéda dans un couloir bondé.

Je n'imaginais pas Vera vivre ailleurs que dans un espace lumineux et coloré. Ce fut un choc de la trouver dans cet endroit glauque et encombré. J'allais vite découvrir que son appartement ne l'était guère plus que les autres appartements anciens de Budapest, lesquels me sembleraient en fin de compte, malgré leur bizarrerie et leur tristesse, plus attrayants que les appartements modernes que l'on proposait en remplacement.

L'aspect lugubre venait du manque de lumière – des rideaux masquaient la grandeur de la fenêtre – et du mobilier massif – en bois d'arbre fruitier – qui obstruait la pièce. Il me fallut plus de temps en revanche pour comprendre ce qui lui conférait ce côté bizarre.

Vera avait vécu là avec sa mère, Mädi – diminutif de Madeleine – entre le divorce et la mort prématurée de celle-ci. Sur l'unique photographie que j'avais vue d'elle, dans le salon de Sainte-Anne-de-Bellevue, Mädi était dans la jeune quarantaine et souffrait déjà du cancer qui allait l'emporter. Son visage demeurait beau, tendu, déjà, vers quelque perspective par-delà l'appareil photo. Mariée

jeune elle aussi, et pour aussi peu de temps,
Vera vivait à présent là avec sa propre fille.

La bizarrerie tenait principalement aux
proportions de la pièce. L'unique pièce, la
salle de séjour de Vera, était bien trop petite
par rapport aux couloirs et aux fenêtres. Et
à aucun moment, en effet, elle n'avait été
désignée comme une salle de séjour. Cette
pièce servait effectivement de chambre à
coucher dans le vaste appartement d'origine,
lequel avait été partagé en quatre après la
Seconde Guerre, bien des années avant que
Mädi n'y emménage. La salle de séjour de
cet ancien appartement constituait à présent
un appartement tout entier. Cela me
dépassait. L'histoire du lieu me demeurait
inaccessible, impossible à comprendre à
cause de mon infinie ignorance de Vera,
de sa mère, de ce lieu, de ce siècle, et de
l'humanité dans son ensemble.

Le plus bizarre de tout restait que Vera,
Vera mon amie, vive dans cet endroit. À
Montréal, nos esprits étaient si proches. Sur
de nombreux aspects je la sentais pareille
à moi, juste plus âgée et plus assurée, plus
grave et plus flamboyante aussi. Je l'avais
aimée et avais aspiré à lui ressembler.

Elle n'avait pas changé. L'après-midi de
mon arrivée à Budapest, je l'avais trouvée
aussi vive et drôle que je l'avais connue à
Montréal. Je savais que je n'avais pas changé

non plus, du moins pas encore. Mais je la voyais avec des yeux neufs. C'était sa maison ; cette pièce et ces meubles inimaginables étaient les siens.

Qu'est-ce que ça peut bien faire ? Je me posais vraiment la question. N'étaient-ce là que détails superficiels ? À moins qu'au contraire, cette pièce lugubre n'en dise long. Jusqu'à quel point l'aspect superficiel révèle-t-il la profondeur des choses ?

Ce lieu m'amena à réfléchir. Je n'en pensais pas moins de Vera, au contraire, elle monta beaucoup dans mon estime. Je commençais à voir la face cachée de sa brillance. Elle était toujours sexy et aventureuse, exactement telle que je l'avais connue. Ce qui avait changé, c'est que je venais de capter un éclat de ce qui se trouvait derrière tout cela, je compris d'où cela lui venait et à quel prix élevé elle l'avait acquis. *Fontos.*

La majeure partie du temps, je me sentais perdue en Hongrie, mais il existait juste assez d'éléments familiers et attrayants pour que je continue de penser que je pourrais m'y sentir chez moi, si seulement je parvenais à trouver la clef. Cette clef existait, je devais la trouver. L'idée de la famille nombreuse et enjouée d'Andy, avec toutes ses histoires, ses secrets et ses personnalités extraordinaires,

me fascinait. Je m'étais gavée des histoires
des étés que lui et ses seize cousins avaient
passés ensemble avant la révolution, dans le
fief familial de Csömör, à l'est de Budapest.
Je savais tout de ces jours glorieux, du
court de tennis, des pomeraies, des enfants
des paysans du village, et de leur si frap-
pante ressemblance avec le grand-père
philantrope. J'avais appris l'histoire de la
liaison extraconjugale du grand-oncle, de
la prodigalité de ce dernier, de l'injustice
subie par d'autres, ou encore de la manière
dont un autre avait délibérément projeté,
d'un violent coup de poing par-dessous, un
plateau de verres pleins de *pálinká*, sur un
lustre en cristal.

Tout cela me semblait bien romantique,
un monde tout droit sorti d'un livre ou d'une
pièce. J'étais amoureuse de cette langue
étrangère et de toutes ces histoires au moins
autant que je l'étais d'Andy. Je ne savais pas
vraiment à quoi m'attendre quand je me
rendis pour la première fois à Budapest,
mais j'avais confiance d'être accueillie dans
ce monde de dangers et d'excitations autant
qu'adoptée comme un membre à part
entière par cette gigantesque famille.

Je ne m'attendais pas à trouver des
lustres de cristal, et n'en trouvai effectivement aucun. Je m'étais préparée en revanche
à trouver la propriété du grand-père telle

qu'elle l'était, réduite à néant. Je fus surprise d'apprendre que deux cousins avaient
réussi à conserver leur propriété en dépit du
régime communiste, et émue par la géné-
rosité que me témoignaient presque tous
ceux que je rencontrais. Ce fut décevant
d'apprendre que l'oncle prodigue devait
désormais vivre dans un appartement étroit
et embué, avec une épouse insatisfaite. Le
pire des découragements fut de réaliser à
quel point ce nouveau monde me restait
étrange, et combien éloigné de tout ce que
j'avais connu auparavant.

La Hongrie m'était étrangère. Tous se
montraient gentils et accueillants avec moi,
mais cela restait un pays étranger dont les
coutumes et la nourriture ne m'étaient
pas familiers, dont les blagues ne me
semblaient pas drôles, les sensibilités et les
anxiétés restaient incompréhensibles, et
dont la langue était tellement déroutante
qu'il semblait vain de faire le moindre
effort de compréhension. Je dépendais
donc complètement d'Andy. Avec lui à mes
côtés pour expliquer et traduire, je pouvais
envisager qu'il me soit un jour possible d'appartenir à ce cercle tellement peu familier.
Sans lui, je demeurais cloîtrée dans le monde
solitaire de mon imagination.

J'avais vécu à Bâle, une ville qui avait
aussi peu à voir avec Budapest que n'importe
quelle autre ville européenne. J'étais
pourtant douée pour les langues, autant
que motivée au plus haut point à apprendre
et comprendre. Malgré cela, lors de cette
première visite, la Hongrie m'apparut
déconcertante et la langue hongroise une
barrière infranchissable.

Aujourd'hui, un visiteur n'aurait probablement pas la même impression, décidai-je
en pensant à Liane. Budapest est devenue
une tout autre ville, les frontières sont
ouvertes, produits, touristes, voire résidents
occidentaux sont devenus choses communes,
à un point tout à fait inimaginable en 1972.
La langue elle-même ne constitue plus une
barrière. Lors de mes premières visites,
pas un seul Hongrois ne parlait anglais, ou
même français. Il devait bien sûr exister un
petit nombre de médecins fréquentant des
conférences internationales, des professeurs,
des traducteurs et des interprètes, ainsi que
des employés de l'industrie touristique qui
parlaient couramment ces langues, mais il
se trouve que je n'ai pas rencontré ce type
de personnes lors de mes premiers séjours.
Ceux que je rencontrais parlaient hongrois
et rien d'autre, leur haine des Russes s'étant
étendue jusqu'à la langue russe, qu'ils

refusaient de parler, bien qu'ils aient été contraints de l'apprendre à l'école.

Tout cela a bien changé. À présent, les écoles envoient des autobus pleins vers la France, l'Angleterre et l'Espagne. L'anglais a remplacé le russe au rang des langues étrangères enseignées dans les écoles publiques, et les jeunes Hongrois sont avides d'apprendre la langue qui constituera leur meilleur passeport d'accès à un monde plus vaste. Liane pouvait dorénavant communiquer avec la jeune génération tout entière.

Et Adam, j'en étais sûre, veillerait bien sur elle. Ce dont une nouvelle arrivante a besoin, une fois présentée à la famille, c'est de quelqu'un qui veille à l'inclure, qui s'assure qu'elle se sente bien accueillie. C'est presque toujours le cas, mais ça l'est plus encore lorsque la famille parle une autre langue.

Aussi intimidée que je fusse, en 1972, je n'étais pas prête à abandonner. Deux semaines, ce n'est pas assez, décidai-je. J'avais besoin de plus de temps pour apprendre à connaître le monde étrange d'Andy. L'opportunité que je recherchais se présenta dès l'été suivant, où nous pûmes passer deux mois en Hongrie.

Entre-temps, notre quotidien s'améliora grandement. J'avais repris les études, ce qui aidait, autant que le fait que nous étions mieux habitués l'un à l'autre, et heureux dans notre nouvelle organisation de vie. Nos ressources, toujours limitées, nous permettaient néanmoins de varier notre alimentation, ce qui rendit les jours de course beaucoup plus agréables, pour nous deux, mais aussi pour Ian, qui devenait un vrai expert du *paprikás csírke, csángó gulyás*, et du chou rouge aux oignons et aux graines de carvi.

Andy et moi passâmes une semaine sur la côte dalmate en Yougoslavie, avant de prendre un bus jusqu'à la ville de Rijeka où un train de nuit nous conduisit jusqu'à Budapest. Ce que nous vîmes de la Yougoslavie était très différent de ce que nous savions de la Hongrie, ce qui nous conforta dans nos idées socialistes, et dans la possibilité d'une transition humaine. Je ne me souviens plus de la conversation, laquelle se poursuivit d'un endroit à un autre sur plusieurs années, mais je me souviens en revanche parfaitement de moi, debout au milieu d'une plateforme vide, dans mon jean délavé à taille basse, citant Lénine alors que le train entrait en gare. « On ne fait pas d'omelette sans casser d'œufs », il me semble que c'était là la fameuse citation.

Andy me regarda de travers :

— C'est épouvantable de sa part d'avoir dit ça !

— Mais c'est vrai, tu ne crois pas ? insistai-je, mais comme nous montions déjà dans le train, cela le dispensa de répondre.

Nous trouvâmes des places dans un compartiment encombré, à côté d'un couple dans la force de l'âge qui retournait en Pologne une quantité de bagages. Au début, ils restèrent bien silencieux, mastiquant leurs sandwichs au salami, copieusement arrosés de *slivovic**, mais dès qu'ils réalisèrent que nous ne comprenions pas le polonais, ils se remirent à parler librement, tandis que nous constations que nous pouvions en effet comprendre un mot par-ci par-là sans saisir le contexte. Au bout d'un moment, l'homme s'endormit sur mon épaule, infectant l'air de son haleine et de ses ronflements. Il se réveilla au milieu de la nuit aux abords de la frontière hongroise, criant après sa femme et farfouillant dans le butin qu'ils avaient réuni pour leurs vacances, et qu'ils voulaient visiblement rapporter chez eux.

— Tu n'es qu'un primitif, lui dit sa femme avec dédain, tandis qu'il tentait de dissimuler quelque article de valeur.

---

*   Eau de vie de prune ou de moue de raisin. (N.D.T.)

— Tu n'as aucune ambition, répondit-il sur le même ton.

Andy et moi échangeâmes des regards amusés. Nous étions jeunes et joyeux, et nous nous croyions à l'abri de l'âge et des rancœurs.

L'été fut long et plus difficile que je ne l'avais imaginé. Dès que j'étais en compagnie, je distribuais force sourires, essayant simultanément de transmettre combien j'appréciais l'immense gentillesse de la plupart de mes hôtes, mais également de dissimuler les ressentiments réveillés par les frustrations occasionnelles. Mais je ne fis aucun effort pour cacher ma fureur lors de l'unique occasion que j'eus d'être vraiment furieuse.

Andy était bien trop occupé avec les siens, et en particulier avec Sándor, pour me prêter attention. Malheureusement pour moi, nous habitions l'appartement de Sándor. Andy et lui avaient été proches dans l'enfance, et ils prenaient un plaisir manifeste à se redécouvrir. Sándor avait pris ses vacances pendant notre séjour, et en fin de compte, nous le voyions trop. Il me semblait avoir une mauvaise influence sur Andy, mais en tout cas, il en avait certainement une sur moi. Il m'était impossible de savoir jusqu'à quel point il était Hongrois, et à partir de quel point son attitude était une aberration. C'était un buveur solide et, selon moi, un peu écervelé. Je ne savais donc pas sur quel pied danser avec lui, ni comment gérer la situation.

Sándor était un indéniable partisan du PC et Andy et lui se lançaient dans de longues discussions politiques que j'étais bien incapable de suivre dans ce temps-là. C'était toujours très décourageant de me trouver en leur compagnie, mais j'étais décidée à faire cet effort, ne sachant que trop combien cela pouvait être important pour Andy, autant sur le plan personnel que pour l'évolution de ses idées politiques. De toute manière, Sándor ne parlait pas, et ne souhaitait pas parler l'anglais, ni aucune langue hormis le hongrois, et il ne faisait aucun effort pour m'inclure dans leurs discussions ; il allait même jusqu'à m'imiter lorsque j'osais poser une question en anglais à Andy. Après quelques expériences désagréables, je décidai de rester à la maison lorsqu'ils sortaient le soir.

Au début, je pensai que le problème n'était que linguistique et que la solution était donc que j'apprenne le hongrois. Et en effet, une âme charitable m'ayant offert un *Hongrois pour les débutants*, je m'attaquai aux premiers chapitres, faisant tous les exercices

et écrivant des listes de mots dans le but
de développer mon vocabulaire. J'en avais
marre de sourire. Si je savais parler, pensai-je,
j'apprécierais la compagnie de Sándor et
d'Andy ; je pourrais répondre à Sándor,
construire une relation avec lui, gagner
enfin son respect et être contente.

Ce plan était voué à l'échec dès le départ,
car Sándor ne s'intéressait qu'à Andy, trop
content de me laisser derrière lorsqu'ils
sortaient ensemble. Aussi incroyable que
cela semble aujourd'hui – incroyable qu'il
ait pu le faire, incroyable qu'Andy n'y ait
pas mis de frein et incroyable aussi que
j'aie pu les supporter tous les deux – Sándor
alla jusqu'à se moquer de mes erreurs de
prononciation, ce qui voulait dire tout le
temps, autant que de mes batailles avec la
syntaxe intimidante et agglutinante de la
langue hongroise.

Sa femme, l'endurante Zsuzsa, protestait
faiblement en le voyant faire ; elle était si
patiente avec moi, si sympathique, prenant
le temps de m'enseigner des mots et des
phrases. Je passai beaucoup de temps avec
elle, d'une manière ou d'une autre, pendant
cet été-là, allant me promener avec elle
et ses enfants timides aux yeux de biches,
pendant qu'Andy et Sándor étaient sortis
ou bien récupéraient de leurs longues veilles
nocturnes. C'est Zsuzsa qui m'apprit ce que

je devais savoir pour magasiner, mais aussi comment préparer une soupe *gulyás,* ou combien de temps il fallait faire fermenter des cornichons au soleil.

Vera protestait très fort contre l'odieux comportement de Sándor. Elle n'avait pour sa part aucune patience à l'égard de son frère. Me voyant ainsi perdue, et malgré toute la bizarrerie de la chose, elle continuait à communiquer avec moi grâce à un mélange de signes et de mots, de plus en nombreux tout de même, de hongrois mais aussi d'allemand et même d'anglais qu'elle avait captés dans des chansons.

Ma compréhension du hongrois s'améliorait, bien qu'avec lenteur et difficulté, en même temps que mes relations avec Sándor se détérioraient. Sa joie à trouver de nouvelles voies de fuite avec Andy, sans moi, culmina un soir d'août, alors que nous passions la semaine avec les Kemény au complet – Vera, Sándor, Zsuzsa et les enfants aux yeux de biche – dans une petite maison sur les bords détrempés du lac Balaton. Nous avions passé toute la fin d'une longue journée d'août à l'extérieur, et il se faisait tard. Je venais de rentrer et commençais à me dévêtir, ayant compris qu'Andy viendrait me rejoindre d'un moment à l'autre.

Au lieu de cela, lui et Sándor entre-bâillèrent la porte de notre chambre juste assez longtemps pour m'informer qu'ils avaient décidé d'aller prendre un verre au bar du coin. C'était vraiment le comble ! Je me souviens avoir hésité un moment, frustrée de ne pouvoir dire ce que je ressentais en hongrois, pour prendre aussitôt conscience que je n'étais même pas capable de le faire en anglais. J'ai alors saisi un de mes souliers et l'ai jeté contre la porte qu'ils venaient de refermer. J'étais très loin de me sentir *nagyon jó.*

7

Je me suis accrochée. À la fin de l'été, non seulement je possédais tout un tas de recettes, mais je m'astreignais à écrire des lettres en hongrois, courtes et certainement bourrées de fautes, aux parents d'Andy à Montréal. Lui et moi retournâmes à Londres et y retrouvâmes nos repères et la vie que nous nous étions construite.

La Hongrie avait néanmoins laissé son empreinte. La décoration de notre appartement comprenait désormais des gravures et des napperons hongrois. Nous découvrîmes une librairie où des saucisses et du porc fumé hongrois pendaient aux étagères. Nous connaissions toutes les charcuteries du nord de Londres qui fournissaient de la crème sure. À côté de ça, céleri-rave et *kohlrabi* restaient rares chez notre marchand de légumes, et nous ne trouvions jamais de persil italien. Le soleil de Crouch End tapait assez fort pour faire sécher les *chapattis* que nos voisins avaient disposés sur le toit de leur remise, mais pas suffisamment pour confire les cornichons qui trempaient dans leurs bocaux sur le rebord de notre fenêtre. En revanche, nous fondions facilement du saindoux et en tartinions religieusement nos tranches de pain, jusqu'à ce que d'un commun accord nous concluions que nous préférions quand même le beurre.

Pendant plusieurs mois, la majeure partie de notre temps se passa dans la salle de lecture du British Museum, et lorsque venait le temps d'écrire, nous travaillions devant la porte-fenêtre de notre chambre, assis à nos bureaux respectivement tournés vers un angle différent de Priory Road. Ian avait entrepris d'explorer Londres à pied, muni de son guide Pevsner de poche, et parfois nous l'accompagnions, faisant halte à tel pub ou tel musée. Ces deuxième et troisième années londoniennes furent certainement nos meilleures, et si la première année compta parmi les pires, d'y avoir survécu nous avait incontestablement rapprochés. Il suffit que je revoie une photo d'Andy dans cet appartement, où il est jeune et beau, pour que je tombe à nouveau amoureuse.

Il a voulu que nous nous mariions. Je ne voyais aucune raison de le faire, et préférais la vie de concubins que nous avions déjà. J'avais remis à plus tard mon projet de devenir écrivain et renoncé à mes idées de relations orageuses avec d'autres hommes. Andy et moi étions heureux ensemble, et je venais même de finir une session universitaire. Me marier n'en restait pas moins hors de mes perspectives. Se marier sonnait bien conventionnel, et je voulais m'accrocher ne serait-ce qu'à une ultime parcelle de mon rêve de « la vie bohème ».

Andy insista. À présent, je pense qu'Edit et Bandi ont dû l'encourager dans ce sens ; fort heureusement je ne m'en suis pas rendu compte à l'époque. Andy a dû avoir à cœur de leur donner satisfaction sur ce point, étant donné que ses positions politiques continuaient à leur déplaire. Je savais qu'ils voyaient notre cohabitation d'un mauvais œil, et il est probable qu'à mesure que se rapprochait notre retour au Canada, cela constitua pour eux un véritable problème.

Alors, pourquoi étais-je si peu enthousiaste ? Mes raisons s'avéraient certainement bien incohérentes. J'avais le vague pressentiment que cela changerait les relations entre nous, que cela affecterait mon identité, que, d'une certaine façon, je deviendrais moins que ce que j'étais en restant seule. Je n'avais pas de récriminations plus concrètes contre le mariage ; c'était juste que ce n'était pas ce que j'avais désiré pour moi-même. La seule justification que je voyais à un mariage était que ce soit un prélude à la naissance d'un enfant, mais je n'étais pas prête pour ça.

Avais-je raison de rechigner ainsi ? Je n'en suis plus si sûre aujourd'hui. Peut-être aurais-je été heureuse d'épouser Andy plus tard, probablement lorsque j'aurais été sûre de désirer un enfant. D'un autre côté, je me demande si j'aurais été si heureuse d'avoir un enfant – puis deux puis trois – si je n'avais pas été mariée. Tout cela appartient au domaine des peut-êtres. Mais la seule chose dont je reste certaine, au-delà de toute possibilité de doute, c'est que j'ai eu raison d'avoir des enfants, car mes fils furent et restent la grande joie de mon existence.

De toute façon, j'ai fini par être à court d'arguments contre le mariage, et une date a finalement été fixée. Planifiant de retourner à Montréal en août, nous nous engageâmes le dix-neuf juillet à la mairie de notre quartier, et offrîmes ensuite une réception à l'étage d'un pub de Highgate.

Cette décision de mariage correspondait à beaucoup de décisions concernant notre vie commune, dans le sens où c'était vraiment la façon de faire d'Andy. Lui avait une vision très claire de ce qu'il voulait, et moi pas du tout.

Je ne suis pas sûre que lui-même voie les choses ainsi, et il est vrai que j'étais très décidée sur certains aspects, autant personnels que professionnels. Rien n'aurait pu me décider à retourner auprès de ma famille. Personne n'aurait pu me convaincre de poursuivre une carrière de secrétaire. À côté de cela, existaient de larges pans de mon existence – le mariage mais aussi l'endroit où nous allions vivre, le lieu de nos vacances ou, plus tard, la voiture que nous allions acheter – sur lesquels je me contentais simplement de me rallier au désir d'Andy. Par exemple, j'allais toujours en Hongrie. À un certain moment, j'ai réalisé que j'aurais aimé aller en Irlande, ou en Italie. J'avais toujours rêvé d'aller à Florence, alors comment se faisait-il que je me retrouvais toujours à Budapest ?

La réponse est que cela était mon fait autant que celui d'Andy. Il aimait bien sûr aller à Budapest, et chaque fois qu'il a proposé ce voyage, j'ai été parfaitement d'accord. Chaque fois. Si je nourrissais d'autres rêves, et il est vrai que j'en ai eu, je me suis toujours astreinte à les garder pour moi, quand je ne les abandonnais pas trop facilement.

Quand je n'étais pas inefficace, j'étais indécise. À notre mariage, j'ai pris le nom de famille d'Andy ; il faut dire que c'était l'usage de l'époque, et je ne connaissais alors aucune épouse qui ait gardé son nom de jeune fille. À notre retour au Canada, j'ai dûment – je dirais selon mon « devoir » – fait changer mon nom sur mon permis de conduire et mes autres documents. C'est à ce moment-là que mes craintes, restées vagues avant notre mariage, refirent surface.

Je ne pouvais simplement pas m'habituer à ce nouveau nom, et j'ai agonisé sous son poids avant de finalement me décider à revenir à Linda Leith. C'était une bien étrange attitude pour l'époque, et je me surpris moi-même en insistant pour faire ce qui était bon pour moi. Qu'est-ce qui consterna tant Andy, ma décision ou mon hésitation ? Ça n'a plus aucune importance à présent. Ma décision consterna non seulement Edit et Bandi, mais également mes propres parents, autant qu'elle m'étonna moi-même ; en vérité, ma mère continua à m'écrire sous mon nom marital pendant de longues années, et je suis sûre qu'elle pensait agir comme elle devait le faire.

À Londres, nous n'avions ni le cercle social ni les moyens de recevoir à la maison, même si des membres de ma famille venaient régulièrement nous rendre visite, Brian le premier, puis Sheelagh et Mandy quand elles quittèrent Nairobi pour continuer leurs études en Angleterre.

Ce n'est qu'à notre retour au Canada que nous commençâmes à organiser dîners et, occasionnellement, de bruyants partys. C'est là la manière de vivre d'Andy, homme grégaire qui ne se sent dans son élément qu'au milieu d'une foule conviviale. Il invitait naturellement les gens, parfois sur un coup de tête, débarquant à la maison avec tel collègue ou ami sans toujours m'avoir prévenue. Il était ainsi. Il avait gardé ce goût de ses longs étés passés avec seize cousins et d'autres innombrables parents et amis dans la campagne hongroise.

Je restais partagée. D'un côté, j'aimais cette spontanéité. Cela faisait partie de ce qui m'avait toujours attirée chez Andy. Mais ce qui semblait si naturel pour lui ne l'était pas pour moi. J'avais vécu une enfance bien différente, au cours de laquelle les invités n'étaient pas bienvenus. J'étais donc heureuse de pouvoir m'y mettre, et de découvrir que j'étais bonne là-dedans, à consulter des livres de recettes et élaborer des menus et dresser des buffets pour des réunions de famille ou d'amis. Mais c'était également épuisant, surtout que j'étais incapable de poser ma limite. Ce dont j'avais vraiment besoin, c'était quelqu'un qui s'occupe mieux de moi. Et j'aurais dû être ce quelqu'un.

Mais c'était trop pour moi. Qu'Andy invite ainsi du monde sans me consulter ni même me prévenir ne m'était plus tolérable. Nous vivions une totale incompréhension maritale, complètement étrangers l'un à l'autre. Je ne comprenais pas qu'il puisse agir ainsi, et lui ne concevait pas que cela puisse simplement me déranger.

Quand on lui offrit un poste à l'université Concordia en 1975, nous emménageâmes dans un spacieux appartement du centre-ville de Montréal, près de McGill. J'avais achevé ma thèse, et le jour avant la fin de semaine de la fête du travail, j'avais été embauchée pour enseigner dès le mardi suivant au collège John Abbott, situé sur le même campus que le collège Macdonald à Sainte-Anne-de-Bellevue. Adam était né en 1976, et j'étais heureuse de déménager hors de la ville, d'abord dans l'île Bizard, où nous restâmes un an, mais que nous trouvions tous deux trop éloignée, et ensuite, à la naissance de Miska, sur l'avenue du Golf dans le « village », au cœur du vieux Pointe-Claire.

La rue était tout particulièrement agréable, et aussi loin que possible de « la vie bohème ». J'avais consacré mon énergie

et mes pensées à mes bébés et avait complètement abandonné mes vieux rêves.

L'un des côtés de notre rue constituait
le dix-huitième trou du parcours de golf et
menait directement au bâtiment du club.
De l'autre côté se dressaient de grandes
maisons anciennes, aux vérandas spacieuses,
la plupart datant du tournant du vingtième
siècle. J'avais passé mon adolescence au
numéro 40, où mes parents habitaient
toujours lorsque j'avais rencontré Andy pour
la première fois. Et en 1978, ce fut notre
tour d'acheter le numéro 52, qui jouxtait
le onzième trou du parcours, juste après le
bâtiment du club en haut de la colline.

Il existait des désavantages à vivre
près d'un parcours de golf. Quand les
garçons étaient jeunes et aventureux, nous
regardions comme nos ennemis naturels les
golfeurs qui réclamaient de façon selon nous
irraisonnable le silence. Nous possédions
également un chien, un labrador jaune
qu'Andy avait nommé Hector – ce qui me
semblait être un nom extraordinaire pour
un chien jusqu'à ce que j'apprenne, des
années plus tard, que c'était un nom de
chien courant en Hongrie –, qui était la
cause de constantes frictions avec les jar-
diniers du club. Sans doute se plaignit-on

maintes fois de nous sans que nous n'en apprîmes rien. Mais il y eut finalement une plainte justifiée.

C'était un dimanche après-midi d'été. La famille d'Andy était venue dîner, et il régnait chez nous une confusion inhabituelle, car se trouvaient là, outre ses parents, fréquents visiteurs du dimanche, sa sœur Kati et Géza son mari, et leurs deux fils. Il y avait donc un groupe de garçons, la plupart – Adam, Miska et leur cousin Antal – âgés de quatre ou cinq ans ; le fils aîné de Kati, Risci, devait avoir neuf ans, tandis que notre troisième fils, Julian, n'était encore qu'un nourrisson. Le onzième trou se trouvait donc de l'autre côté de la rue, non loin des parasols jaunes de la terrasse du club, mais nous nous trouvions dans un cul-de-sac si tranquille que n'avions jamais eu de raisons de nous inquiéter de la circulation. Nous avions fini de manger et j'allaitais Julian tandis que nous bavardions, assis dans le jardin arrière, lorsque Andy réalisa soudain que les garçons étaient en train de faire du tricycle sur le green fraîche-ment entretenu, à la grande consternation des joueurs assis sur la terrasse.

Nous avions nos propres raisons de nous plaindre. Les golfeurs impétueux en constituaient une, les tournois une autre. Durant l'Open DuMaurier, alors que des foules encombraient le terrain, jusque sur notre propre jardin avant, il nous fallait présenter un laissez-passer pour pouvoir rentrer chez nous. Si la circulation ne nous inquiétait pas, nous redoutions les balles de golf volantes, dont nombre nous frôlaient lorsque nous nous promenions le long du dix-huitième trou. Sans compter qu'à chaque début de saison, nous trouvions quantité de balles de golf dans notre jardin. Il était inquiétant mais compréhensible que tant de balles se retrouvent dans le jardin avant, surtout que le onzième trou en haut de la colline était difficile d'accès. En revanche, il restait incompréhensible que nous en trouvions aussi dans le jardin arrière. Nul doute qu'elles venaient de tirs sauvages.

Nous avons vécu là dix ans, sans qu'aucun de nous ne soit atteint par une balle, sans qu'aucune fenêtre ne soit brisée, aussi n'avons-nous jamais vraiment porté plainte. Le fait est que nous adorions vivre là, et nous commentions ces quelques désavantages afin de pouvoir nous insurger contre le comportement de quelque joueur brutal contre Adam ou Miska, quand ce n'était pas le jardinier qui sonnait à notre porte pour se plaindre qu'Andy avait laissé Hector courir sur ses pelouses.

C'était magnifique. Des peupliers bordaient la chaussée et les écureuils vivaient dans l'énorme érable de notre jardin avant.

Derrière notre clôture de piquets blancs,
une allée puis des marches en pierre
conduisaient à une galerie également pavée.
De chaque côté des marches, les amandiers
fleurissaient en une symphonie rose au
printemps. Un lilas poussait sur le flanc de
la maison. La toute première chose que fit
Andy lorsque nous emménageâmes fut de
fixer des bacs à fleurs sous les quatre fenêtres
principales et d'acheter deux moitiés de
tonneau qu'il roula jusqu'à la galerie et
remplit de terre. Dès le premier été, nous
étions entourés de pétunias, de capucines
et de géraniums.

La maison se trouvait tout en haut de
la colline, surplombant le golf et la vallée
tout entière. Avec l'arrivée de la neige, les
golfeurs désertaient le terrain qui devenait
alors entièrement le nôtre. L'ouest de l'île
de Montréal étant principalement plat, cette
colline était la seule sur des kilomètres à la
ronde, et de nombreux enfants venaient
glisser là durant les fins de semaine hiver-
nales. Nous y glissions nous aussi, et mes
fils étaient experts en tapis à glisser et autres
types de luge existant à l'époque. Nous
pouvions même courir sur le terrain de
golf avec Hector. Nous pouvions – et Andy
le faisait – nous adonner au ski de fond. Et
patiner sur l'étang gelé.

Décembre venu, Andy accrochait des lumières dans les amandiers tandis que j'accrochais une couronne de sapin à notre porte d'entrée. À l'intérieur, le bois coupé était empilé à côté de la hotte de notre cheminée en pierres de taille. L'excitation montait à mesure que nous approchions de Noël.

Durant ces années, nous ne fîmes pour ainsi dire aucun voyage. La Hongrie se bornait à nos visites à Edit et Bandi, à apprendre à mitonner la soupe qu'elle préparait depuis toujours et que mes enfants s'étaient mis à aimer. Mais plus que tout cela, la Hongrie c'était Noël.

J'ai commencé à écrire ceci en septembre, pendant que Liane et Adam se trouvaient en Hongrie avec Andy, roulant vers le lac Balaton. Les semaines ont passé et j'ai continué à écrire presque tous les jours, très tôt le matin, avant que la journée n'ait, à proprement parler, commencé. Je me suis promis d'écrire tous les jours à mon réveil, aussi folle que soit la journée à venir, aussi nombreuses et urgentes que puissent être mes tâches. Parfois je relis et corrige un peu, n'ayant pas plus de quinze minutes ; parfois je ne parviens à écrire qu'une phrase ou deux, mais il arrive, surtout la fin de semaine, que j'en fasse beaucoup plus, si bien que je commence à présent à envisager la fin de ce manuscrit.

Ce matin, un mardi, est le matin de Noël. Je suis debout depuis une heure environ, et j'écris confortablement installée dans le fauteuil dans l'alcôve, mon portable sur les genoux et une tasse de café à mes côtés. Lorsque je lève la tête de mon écran, ce qui m'arrive souvent, je vois le sapin à l'autre extrémité de la salle de séjour. Julian l'a acheté il y a quelques jours au marché Atwater et hier au soir, nous l'avons décoré ensemble. Depuis les dernières années, depuis que les garçons ont grandi, Noël est plus facile.

Ce n'est qu'après la naissance de Miska en 1978 que nous commençâmes à fêter Noël nous-mêmes. Auparavant, lorsque nous nous trouvions au Canada, nous allions chez les parents d'Andy ; cela se passait toujours le 24 décembre, date à laquelle les Hongrois fêtent Noël. C'était aussi en décembre que nous étions allés visiter, chacun de notre côté, nos lointaines familles, pendant notre première année à Londres. L'année suivante, grâce à nos bourses, nous étions venus à Montréal d'où nous étions descendus en voiture avec Edit et Bandi jusqu'à Princeton, où l'on fêta Noël chez l'oncle István et sa femme américaine Judith.

Andy et moi n'avions fêté qu'un seul Noël ensemble, celui de notre dernier hiver à Londres. Ian était sans doute là, ainsi que mon père et aussi, me semble-t-il, son frère Raymond. À cette époque, mon père était patient externe d'un hôpital psychiatrique, vivant avec nous pour plusieurs mois. Avec son aide, c'était une de ses grandes spécialités, nous avions préparé un rôti de bœuf ainsi qu'un *Yorkshire* pudding pour le repas de fête.

Notre maison de l'avenue du Golf était un endroit idéal pour fêter Noël, mais à quelle date le faire ? Noël à la hongroise au soir du réveillon ? Ou bien Noël tel que ma famille l'avait toujours fêté, le jour même ?

L'histoire hongroise de Noël raconte que le petit Jésus passe le sapin tout décoré et illuminé par la fenêtre du salon. C'est une idée toute simple, même si dans la pratique, cela requiert un ange ou deux. Cette histoire exalte la crédulité. Je soupçonne que c'est la raison exacte pour laquelle j'en suis littéralement tombée amoureuse.

Combien d'arbres le petit sauveur pouvait-il en outre transporter ? Ce point appartenait aux questions à ne pas poser, comme il y en a tant, et dans toutes les traditions, à cette époque de l'année. Comment, par exemple, pouvait-il savoir si nous avions été obéissants ? Comment parvenait-il à faire le tour de toutes les maisons en une seule soirée ? Et combien de cadeaux pouvait-il transporter ? Ce type de questions ne me venait même pas à l'esprit. Les réponses n'apporteraient rien de bon. Avant de les connaître, je pouvais me concentrer, avec une infinie dévotion, à compter le nombre d'anges qui pouvaient danser sur une tête d'épingle.

La tradition hongroise veut qu'on mette de véritables bougies sur le sapin, et les Hongrois défendent cette pratique jusqu'à ce jour. Le truc consiste à fixer la bougie sur l'extrême bord de chaque branche, pour que la flamme ne puisse pas atteindre les branches supérieures. C'est évidemment très risqué, et même les adeptes de cette technique d'illumination du sapin admettent qu'il est préférable de tenir un seau d'eau à portée de main, juste au cas où la fenêtre serait étroite et que le petit Jésus doive tasser le sapin pour l'introduire dans la pièce.

Les vraies bougies étaient de rigueur partout avant la généralisation de l'électricité, et l'effet de leur halo est tellement extraordinaire qu'il n'est pas surprenant que beaucoup continuent à le préférer. C'était d'ailleurs mon cas, en souvenir de mon enfance. Les bougies jouaient de plus un rôle clef dans la légende de Noël hongroise, et j'aurai pour ma part tout fait pour en avoir sur notre sapin. Car quel courant électrique le petit Jésus pourrait-il bien utiliser ? La prise devait-elle se trouver à l'extérieur ? Ou bien fallait-il que l'enfant sauveur traînât derrière lui un groupe électrogène qu'il pourrait ensuite brancher dans le salon de chacune des maisons ?

Pas un des Hongrois que nous connaissions ne posait de telles questions ; ils prenaient sagement cette légende pour une légende, et ils étaient réellement soucieux d'adapter leurs traditions aux nouvelles réalités de vie. Aucun d'eux n'utilisait de vraies bougies au Canada, et la plupart décoraient leur sapin bien à l'avance, ce qui était bien plus pratique que d'attendre pour le faire le soir du réveillon. Lorsque mari et femme étaient Hongrois, la célébration avait bien lieu au soir du réveillon. Mais si un seul des partenaires était Hongrois, et que les enfants parlaient anglais, comme c'était le cas chez nous, il n'était pas rare que l'on célébrât Noël au matin du 25 décembre.

Les questions qu'Andy et moi nous posions en 1978 étaient d'ordre pratique.

Comment transmettre nos traditions respectives à nos enfants ? Cela nous semblait
possible, mais il nous fallu d'abord vérifier
s'il était possible de recréer le Noël hongrois
à Pointe-Claire en cette fin de vingtième
siècle. Il s'avéra que oui, à deux conditions.
La première était d'exclure les bougies.
La seconde était de se préparer à fournir
un effort extraordinaire. Nous nous y
résolûmes, et remplîmes ces deux conditions
avec style.

La veille de Noël, vers le milieu de
l'après-midi, j'emmitouflais les garçons dans
leurs combinaisons de neige et les conduisais
au cinéma. Soit un dessin animé lorsqu'ils
étaient encore très jeunes, soit, plus tard,
Blanche-Neige et les sept nains, Jardin secret ou
Star Wars, appréciés de tous. L'important
étant qu'ils s'occupent joyeusement pendant
les quelques heures cruciales nécessaires
à Andy pour jouer son rôle à lui, celui du
petit Jésus.

Il avait acheté le sapin plusieurs jours
à l'avance et l'avait rangé hors de leur
vue, sur le côté de la maison. Aussitôt que
j'étais sortie avec les garçons, il se hâtait de
le transporter à l'intérieur, de l'installer, le
décorer, ses parents jouant parfois le rôle
d'anges assistants ; ils adoraient passer Noël

avec nous quand les enfants étaient petits. Le film fini, je ne manquais pas d'appeler du cinéma pour voir où il en était. Il n'était pas prêt, inévitablement, aussi emmenais-je les garçons prendre un goûter avant de rappeler. Quand tout était finalement fin prêt, je pouvais ramener nos fils, sans manquer de leur faire admirer en chemin toutes les maisons illuminées, en tentant de repérer celle qui aurait mérité un prix si nous avions dû en décerner un.

Tout cela aurait pu être simple mais, d'une manière ou d'une autre, il se posait toujours des problèmes. Une année, le sapin était trop haut et Andy dut le scier. Mais il n'avait pas de scie, alors il se retrouva à devoir en trouver une la veille de Noël, après que tous les magasins eurent fermé. Une autre fois, juste avant Noël, il plut puis il gela. Lorsque Andy transporta le sapin à l'intérieur, celui-ci était couvert d'une solide couche de glace, et il eut à la faire fondre avec un séchoir à cheveux pendant plusieurs heures, avant de pouvoir commencer à le décorer. Nos fils et moi prîmes un très long goûter cette année-là, et je crois bien que nous avons fait plusieurs fois le tour de l'île pour admirer les illuminations. Mais il arrivait que tout se passe bien et que nos fils et moi retournions tranquillement à la maison, calmes et reposés.

— Les anges ont été bien occupés, soufflait Andy en ouvrant la porte. Il avait pris soin de tirer les rideaux, voire de suspendre un drap dans le couloir d'entrée, pour s'assurer que les garçons ne verraient rien.

— Ça ne devrait plus être long, concluait-il.

Nous les conduisions vers la salle à manger – où j'avais dressé la table plus tôt dans la journée, avec la porcelaine fine et la nappe en dentelle de Bruges que ma mère m'avait achetée à Bruxelles –, ou dans le solarium situé à l'arrière de la maison. Là il nous fallait à nouveau patienter – tant d'attente et d'anticipation – tandis qu'Andy enlevait et rangeait le drap, puis allumait un feu dans la cheminée. Je me faufilais discrètement vers l'escalier pour descendre les cadeaux que nous disposions sous le sapin. Et finalement, le temps devant paraître bien long aux garçons, un premier son de cloche retentissait, puis après un silence, un second.

— *Jók valtok a gyerekek* ? C'était le père d'Andy qui posait cette question lorsqu'il se trouvait là avec Edit. Est-ce que les enfants ont été sages ?

Nos enfants clignaient des yeux. Ils oubliaient toujours cette partie de la cérémonie.

— Ils ont été très sages ! répondais-je en souriant, et ils approuvaient d'un nouveau clignement de cils.

Nous nous dirigions alors vers le salon, en nous tenant par la main, pleins d'assurance, sachant très bien que la fenêtre serait grand ouverte et qu'un immense sapin se tenait déjà, brillant de mille feux au centre d'un tapis de cadeaux, dans le coin de la pièce. Andy fermait la fenêtre, et nous entamions le traditionnel chant de Noël hongrois, *Menyböl az angyal,* ou plutôt, disons que nos fils et moi fredonnions l'air tandis qu'Andy et ses parents poursuivaient avec le reste des mots. Nous chantons ce chant encore aujourd'hui, avec une grande part de fredonnements.

Le chant fini, chaque garçon se voyait indiquer sa propre pile de cadeaux. Une fois qu'eux avaient les leurs, Andy et moi, ainsi que ses parents s'ils étaient là, échangions les nôtres. Plus tard, nous prenions place autour de la grande table de la salle à manger et partagions notre repas de fête. L'esprit du Noël hongrois était ainsi réalisé.

Encore plus tard, alors que nos enfants dormaient à poing fermés, le petit Jésus se transformait en un vieil elfe fort enjoué.

Nos fils savaient bien que nous ne remettions les plus gros des cadeaux que le lendemain matin. Il y avait toujours de la musique à mon réveil, plutôt tardif. Un feu crépitait, le café était chaud et une chorale égrenait ses notes, quel que fût le programme de radio du jour. Les garçons n'insistaient même pas pour se lever tôt. Ayant su établir son autorité à coups de tintements de cloche et de récits d'êtres merveilleux qu'il aurait vus par la fenêtre ouverte, Andy n'avait aucun mal à les convaincre de ne pas se lever pour aller voir les présents, et d'attendre que nous soyons levés et en forme.

Nous donnions aussi un gros repas ce midi-là, jusque dans l'après-midi où amis et autres membres de la famille nous rejoignaient, si bien que nous étions souvent douze ou quatorze autour d'une dinde, d'une oie ou d'un rôti de bœuf. C'était toujours très abondant. C'était beaucoup de travail, mais tellement agréable.

Andy a téléphoné hier depuis le lac Balaton. Il a parlé à chacun des trois garçons à tour de rôle, juste avant que nous allions voir notre film, soit, cette année, le deuxième épisode du *Seigneur des Anneaux, Les deux tours.* J'étais en train de préparer une salade de fruits de mer pour notre souper de fête. Il vaut toujours mieux avoir quelque chose de prêt, pour éviter de se mettre à cuisiner au milieu de l'échange de cadeaux. Mais cela signifie qu'il faut se mettre à cuisiner dès le matin.

— Maman ! appela Julian, qui lui avait parlé le dernier. Je me suis essuyé les mains avant de prendre le téléphone :

— Bonjour Andy !

— Bonjour Lin. Je pensais justement à toi et aux garçons.

— Et moi je pensais à nos Noëls de l'avenue du Golf…

— Moi aussi…

— C'était vraiment beau, non ?

— Je le pense aussi…

— Je pense que c'étaient les plus beaux Noëls que quiconque ait jamais vécus.

— Je le pense aussi…

— Joyeux Noël, Andy !

— Joyeux Noël, Lin !

Voilà, c'est le matin de Noël et je suis là à écrire ces mots. Adam est rentré pour quelques jours et dort dans le salon. Nous ne nous offrons plus de cadeaux le matin de Noël dorénavant. Je n'organise plus de grosses réceptions comme j'avais l'habitude de le faire, à tout moment de l'année, et ce temps de l'année ne me semble plus appartenir qu'à la famille. Liane aurait été la bienvenue, mais elle-même se trouve dans sa famille, à Toronto. Les rares amis qui auraient pu se joindre à nous sont outre-mer. Certes notre repas de fêtes sera toujours aussi copieux, et nécessitera une bonne partie de la journée pour le préparer. Nous allons jouer à des jeux de société, regarder des films, passer quelques coups de fil. Et être ensemble.

8

Alors qu'est-ce qui s'est passé ? Qu'est-ce qui a mal tourné ? Il y avait tant de choses bonnes, et justes, et même extraordinaires, entre Andy et moi. Qu'est-ce qui a donc mis fin à notre mariage ?

Une partie venait de lui et une autre de moi, et encore une autre de quelque chose que je ne sais nommer, et que je vois différemment chaque fois que j'y pense. Certes, des tensions ont toujours existé, mais pas plus que dans n'importe quel couple. Je ne suis pas sûre de vraiment pouvoir départager lesquelles venaient de nous, et lesquelles de nos vies et habitudes familiales respectives, et jusqu'à quel point elles avaient à voir avec le fait qu'Andy soit Hongrois et moi non.

Andy était un excellent père, surtout quand les garçons étaient petits. Il les prenait dans ses bras la nuit près de la fenêtre, et leur racontait des histoires. Il les emmenait faire des balades en vélo, et jouait avec eux à entasser les profusions de feuilles qui tombaient de l'immense érable de notre jardin avant. Il aimait jouer et avait plaisir à jouer avec eux. Il ne s'en montrait pas moins sévère avec eux, bien moins indulgent que moi, si bien qu'ils l'écoutaient avec respect.

Il était bien moins bon comme mari. Il faut bien avouer que j'étais moi-même meilleure mère qu'épouse. Le mot même d'épouse m'insupportait, raison pour laquelle j'avais été si hésitante vis-à-vis du mariage depuis le début. À vingt-trois ou vingt-quatre ans, je pressentais que nous marier changerait la relation entre nous ; je sais à présent, trente ans plus tard, que ces pressentiments étaient fondés.

J'ai une bonne idée de ce que signifie être une bonne mère. Mais je vois mal ce que peut bien signifier être une bonne épouse. Et si la seule idée d'être une bonne épouse me pose problème, alors il n'est pas surprenant que j'aie éprouvé de la difficulté à l'être. Une bonne épouse est-elle celle qui veille aux besoins et aspirations de son mari ? Aux siens propres ? Et qu'arrive-t-il si les deux ne coïncident pas toujours ? Quand Andy et moi avons parlé d'avoir des enfants, je me souviens avoir discuté d'un partage égal des tâches et des responsabilités, et je me souviens qu'Andy était d'accord.

Cela n'a pas fonctionné ainsi. Devenir parents a représenté un grand défi. L'un des facteurs fut certainement le stress de devoir gérer nos deux carrières à plein temps, nos trois enfants à plein temps, sans compter notre chien et notre maison à plein temps. Dès la naissance d'Adam, je me suis retrouvée avec la majeure partie des travaux domestiques, et sans en être heureuse. Nous travaillions tous les deux mais j'assumais plus que la moitié du travail domestique.

Andy s'était profondément impliqué dans la politique de l'université, et les perspectives de création de l'École de la Communauté et des Affaires Publiques de Concordia à la fin des années 70 et au début des années 80. J'avais quant à moi découvert le travail de Mavis Gallant, et avais entrepris un essai autour de son œuvre, en même temps que je collaborais au magazine *Montreal Review*, avec quelques collègues de l'école John Abbott. En d'autres mots, je possédais mes propres rêves et tenais à les réaliser même lorsque la famille et l'enseignement accaparaient une bonne part de mon énergie. Je dirais que c'est précisément dans ces années-là qu'il m'importait tout particulièrement de réaliser mes rêves, car c'est là qu'ils étaient les plus fragiles. Deux ou trois fois par an – dans les moments où je me sentais vraiment assaillie par le stress – et souvent en septembre, juste avant le début de l'année universitaire, ou bien lorsque arrivait la date limite pour la remise d'un article ou d'un projet – un orgelet se formait sur l'une de mes paupières.

Après la naissance d'Adam, Andy se mit à passer ses soirées en ville, sortant avec ses élèves et ses collègues et rentrant tard à la maison. Cela dura pendant les deux ou trois premières années d'Adam et Miska.

Le sujet revint sur le tapis un soir que je ratai une réunion au collège parce qu'il n'était pas rentré à temps et ne m'avait pas même prévenue pour que je puisse trouver une gardienne. Je pris Adam et Miska et passai la nuit chez ses parents. Ce n'était certes pas le meilleur endroit pour chercher refuge, mais je n'avais nulle part où aller avec deux enfants de deux et trois ans.

Il nous fallut batailler pour nous améliorer. Notre couple survécut encore une fois, mais par la peau des dents.

Je présentais un projet sur les écrivains anglo-québécois, pour lequel je reçus une bourse de trois ans, ce qui me permit de diminuer ma charge de cours et de dégager plus de temps pour mon travail personnel, qui incluait également la revue des nouveautés littéraires, ainsi que plus d'articles universitaires. Andy obtint son poste de titulaire à l'université et obtint aussi des contrats de consultant. Nous pûmes louer un chalet dans les Cantons de l'Est entre décembre et mars. Andy dévalait les pentes avec nos garçons, tandis que j'attisais le feu, écrivais et faisais de longues balades dans la neige avec Hector. Vers le milieu des années 80, alors qu'Adam et Miska étaient à l'école et que Julian était entré à la garderie, tout allait pour le mieux.

C'est la période à laquelle la Hongrie prit une nouvelle importance dans la vie d'Andy, et donc dans la mienne. La présence de la famille d'Andy était restée constante au fil des années, même si Edit et Bandi avaient quitté le collège Macdonald à leur retraite pour s'installer dans l'île des Sœurs près de leur fille Kati. Les garçons avaient tous été baptisés à l'église hongroise, ce qui importait beaucoup aux parents d'Andy et pas du tout à moi. Et puis il se trouvait toujours un visiteur de Hongrie qui passait une nuit ou deux chez nous pendant son séjour. Il était courant que ce visiteur donne notre nom à un autre de ses proches qui lui-même venait l'année suivante. La Hongrie et les Hongrois constituaient toujours une part de notre vie, même si nous n'y étions pas retournés depuis dix ans.

Le retour d'Andy en 1985 marqua donc tout un tournant. La situation politique devenait de plus en plus intéressante, et plusieurs de nos anciens amis faisaient partie des intellectuels dissidents. Ensemble ils s'organisaient toujours pour passer du temps à New York ou enseigner au Bard College – ou venir sur l'avenue du Golf ou dans les Cantons de l'Est. Andy et moi retournâmes au bal hongrois pour la première fois depuis 1970. Puis vint la célébration d'un anniversaire du grand-père d'Andy, à l'occasion duquel une grande réunion de famille fut organisée à Csömör, incluant les dix-sept cousins et leur innombrable progéniture. Edit étant malade cet été-là, elle et Bandi durent rester à Montréal, tandis que nous cinq nous envolâmes pour un séjour de deux semaines.

En 1990, Andy obtint un congé sabbatique, et nous reçûmes aussi chacun une bourse d'études, lui pour poursuivre son étude de la politique économique hongroise, et moi pour un nouveau projet sur la fiction nord-irlandaise. C'est ainsi qu'à l'automne 1989, nous décidâmes de passer l'année suivante à Budapest. Avant même la chute du mur de Berlin, Andy était visiblement enclin à retourner y vivre, mais après, rien ne pouvait plus le retenir. Cette perspective m'intéressait aussi. Cela n'allait pas sans créer de sérieuses complications au magazine pour lequel je travaillais alors, mais il fut décidé que je pourrais m'acquitter d'une bonne partie du travail par courrier, et que nous publierions un numéro spécial principalement avec des textes traduits du hongrois. Quant aux garçons, ce serait bien sûr pour eux une expérience extraordinaire. Et puis, après tout, ce n'était l'affaire que d'une année.

Nos fils avaient respectivement treize, douze et huit ans. Nous vendîmes notre voiture, louâmes notre nouvelle maison de la rue du bord du lac à une famille de la rive sud et logeâmes un certain nombre de nos affaires sous une bâche dans le garage. J'enseignais à plein temps, travaillais pour le magazine, éditais une collection de fictions aux éditions Véhicule Press, sans oublier la préparation de mon projet de recherche. Et tandis que nous préparions Hector pour son vol vers Budapest, un orgelet de la taille d'un petit pois bourgeonna sur ma paupière gauche.

Nous étions en transit à Vienne, où nous passâmes la majeure partie de la journée en attendant notre correspondance, et ce n'est qu'en soirée que nous atterrîmes enfin à Budapest.

Sándor – parce que Sándor se trouvait évidemment dans le décor – avait loué un véhicule suffisamment spacieux pour nous et nos bagages. Nous déposâmes nos affaires dans la villa dans laquelle nous avions loué un appartement, attendus que nous étions à un dîner avec tous nos cousins. Tous parlaient hongrois, avec des voix fortes et excitées. Mes fils écarquillaient les yeux, tant nous étions fatigués et silencieux, pris entre surexcitation et ennui. Le lourd mobilier de bois foncé de ce restaurant-cave à vin, les musiciens tziganes, le gros rouge et les plats copieux me restèrent complètement sur le cœur. J'ai été folle de venir ici, pensais-je déjà, allant me coucher dans un complet état d'épuisement.

Je me réveillai au milieu de la nuit. Andy dormait à mes côtés et nos fils dans la chambre à côté. C'est là que je pris conscience de l'étrangeté de la situation. L'air lui-même était étrange, pas désagréable mais étrange. La chambre était vaste, le plafond haut et les fenêtres françaises ouvertes. C'était une belle nuit estivale, et l'air m'était étranger, ou bien peut-être y avait-il plus d'air que je n'en avais l'habitude, parce que nous nous trouvions sur l'une des collines de Buda. Il flottait une légère et bizarre odeur – de cire ou peut-être de vernis à meubles. Nous avions loué un appartement meublé et tout équipé, la couverture était trop mince et les draps neufs crissaient contre ma peau. Les persiennes de bois laissaient passer la lumière de la rue. J'étais enchantée.

En l'espace d'un mois, j'avais commencé à écrire. D'abord des lettres, qui décrivaient nos premières semaines à Budapest, nos voisins musiciens, le drôle de nom de notre petite rue pentue sur la colline – Kopogó lépcső ou l'escalier retentissant – ainsi que la difficulté quotidienne de vivre dans une langue étrangère.

C'était une époque extraordinaire, à peine quelques semaines après qu'un gouvernement librement élu eut remplacé le régime communiste, et je me trouvais à un poste d'observation privilégiée. Très peu d'étrangers se trouvaient alors à Budapest, pour la plupart des diplomates sans liens avec la Hongrie, sans compréhension, et encore moins d'intérêt, pour les affaires du pays.

À cette époque, mon hongrois restait faible, mais du moins fonctionnel. Comme j'avais tout de même passé plus de vingt ans en compagnie de Hongrois, je pouvais tenir une conversation téléphonique avec un interlocuteur indulgent. Je comprenais à peu près tout si on s'adressait directement à moi, la plupart d'entre eux faisant l'effort de me parler lentement et simplement.

Je parvenais aussi à comprendre ce qui se passait autour de moi, dans les conversations attrapées au vol au marché, dans le tramway ou les soupers en ville.

Une partie m'en échappait néanmoins, ce qui nourrissait certaines disputes avec Andy. J'avais le chic pour exagérer les exploits de mon hongrois parlé, exagération avérée le matin où j'ai demandé à l'épicier si ses piments étaient *csinos* (jolis) au lieu de *csipös* (forts), ou ce jour encore plus mémorable où je me suis imprudemment essayée au sarcasme.

Le toit s'était mis à fuir, ce qui nous força à vivre plusieurs jours au milieu de bassines d'eau. Cela nous sembla des mois dans la durée de notre séjour, ponctué par les interférences d'Érzsi, la propriétaire, qui n'étaient vraiment pas pour arranger les choses. Je m'étais réfugiée avec les garçons dans la plus grande chambre à coucher, la seule pièce sèche de l'appartement, lorsqu'elle débarqua avec deux de ses enfants pour sa visite quotidienne.

— C'est un peu humide…, dit-elle stupidement.

— *Hát, az valami mondani !* rétorquai-je.

Érzsi et ses enfants me fixaient sans comprendre. Mes fils se tournèrent vers moi. Au lieu de dire : « Eh bien, voilà une bonne chose de dite », comme c'était mon intention, mes capacités linguistiques n'étant pas du tout ce que je croyais, j'avais traduit cette phrase mot à mot en hongrois, où elle ne produisit pas du tout l'effet escompté.

Hát, az valami mondani ne signifie rien de précis en hongrois et surtout pas le sens que pouvait avoir la même phrase en anglais. Je pensais ma réplique bien maligne et elle était tombée à plat. En la prononçant je m'étais ridiculisée. Et dès lors cette phrase sans sens devint une phrase à répéter, ce que mes fils ne se privèrent pas de faire à haute voix à longueur de journée.

Plus que ça : elle devint légendaire dans notre voisinage, grâce aux enfants de l'étage du dessous qui interceptèrent ma conversation avec Érzsi. C'est l'héritage linguistique que j'ai laissé à Buda. Adam m'assure qu'on l'entend encore aujourd'hui sur la colline des Roses.

Plus important que l'état de mon hongrois pendant les premières semaines de notre séjour, fut mon réel intérêt pour l'univers dans lequel je devais vivre une année durant. Aussi bon que deviendrait mon hongrois – et il devint passablement bon pour une étrangère, surtout si l'on considère que les étrangers n'apprennent guère plus d'une phrase ou deux – je savais que je

ne le parlerais jamais assez bien pour véritablement prétendre pénétrer ce monde.
J'avais fini par admettre que ce monde me
resterait étranger et que j'y serais toujours
une étrangère. Andy était tellement occupé
qu'il n'avait même pas le temps d'appeler un
plombier, me laissant interpréter ce monde
à ma manière. Dépendre à nouveau de lui,
comme cela avait été le cas lors de mes
précédents séjours, ne menait nulle part. Il
devait exister une autre voie, et il en existait
effectivement une. Je pouvais écrire sur ce
monde. L'écriture serait ma voie d'accès.

La ville en elle-même était parfaite,
magnifique vue de l'extérieur, mais mitraillée
et miteuse vue de près. Je restais complètement à l'extérieur, observatrice non
impliquée, pareille à une visiteuse sur une
galaxie inconnue. Je crois vraiment que
cela explique en partie pourquoi il m'a été
possible de me mettre à écrire, l'extrême
étrangeté de mon environnement me
procurant une satisfaction qui m'échappe
encore partiellement.

Je vais écrire un journal, me suis-je
d'abord dit, m'astreignant à répertorier
les événements autour de moi ainsi que
les dires des habitants. Je pensais écrire un
compte rendu non fictif de ce lieu particulier, en espérant qu'il puisse être publié.
Je me concentrerais sur les membres de

notre famille, nos voisins, mais également les habitants dont je croisais quotidiennement la route.

Cela constituait un échantillon de population varié. Notre cercle immédiat était composé d'architectes et d'apparatchiks, de mécaniciens et de chanteurs d'opéra, de médecins et de travailleurs sociaux. Les appartenances politiques s'échelonnaient de membres du Parti communiste comme Sàndor, à un autre de leurs cousins devenu conseiller d'Antall, le nouveau premier ministre de centre-droit, jusqu'à un certain nombre d'anciens dissidents qui avaient appuyé le Parti démocrate libre et siégeaient à présent au Parlement.

Il me fallait me situer quelque part; or, quel meilleur lieu trouver que notre villa branlante avec le cerisier qui montait jusqu'à notre balcon et les ruelles adjacentes dans lesquelles Hector et moi nous déambulions chaque matin. Aussi étranger que cet univers me restât, certains de ses aspects ne m'en étaient pas moins familiers. J'avais mes fils et cinq autres enfants vivaient en outre dans l'appartement du bas; l'école étant située juste à côté, je me trouvais également environnée d'enfants qui entonnaient *Csókolóm* – abréviation de *Kezít csókolóm* – « Je baise votre main » – dès qu'ils m'apercevaient. Même à douze ou treize ans, ils possédaient des manières que mes fils n'avaient pas, se serrant même la main lorsqu'ils se rencontraient dans la rue. Sur bien des points, les enfants hongrois agissaient d'une manière qui m'étonnait, tout comme sur bien des points sans doute, mon comportement différait de celui de leurs mères, mais ils n'en restaient pas moins des enfants et moi, une mère, et nous nous en arrangions fort bien. Et je continuais à cuisiner de la même façon que chez nous, même si les aliments avaient un goût différent. À chaque lavage, les draps s'adoucissaient. Et le ciel était bleu.

Je tins ce journal pendant plusieurs semaines, décrivant les difficultés de notre quotidien – la file d'attente à la poste, l'achat des piments verts, parer aux intrusions d'Érzsi. J'avais pour écrire toute la tranquillité nécessaire, le téléphone ne sonnant que rarement, n'ayant pas de rendez-vous à organiser, de cours à préparer, ni aucune sorte d'échéance à respecter. Mes mots coulaient donc, fluides et faciles. Dès septembre, lorsque mes fils commencèrent l'école, j'eus plus de temps pour moi que je n'en avais eu depuis quinze ans. Il me semblait que cela faisait partie des choses, que dans les mois qui précédaient mon quarantième anniversaire, je puisse enfin me mettre à écrire.

Au début du mois d'octobre, la Hongrie se trouva prise dans une crise politique. Le gouvernement en place avait d'abord promis de ne pas augmenter le prix de l'essence, puis il fit soudain volte-face, avec pour résultat de mécontenter les taxis au point qu'ils entamèrent une grève, et allèrent jusqu'à mettre le pays à genoux, en barricadant les principales artères de la capitale. Le ton de mes écrits changea d'un coup, passant brutalement des descriptions de la vie familiale au compte rendu des bulletins radiodiffusés. L'urgence de la situation, ainsi que le désespoir de la population, se mirent à déteindre sur mon écriture. Je finis par comprendre qu'il ne suffisait pas de se contenter de décrire un monde, mais qu'il fallait véritablement en raconter l'histoire. Cela aussi faisait partie de l'histoire.

Je me suis mise à rapporter directement mes conversations avec Érzsi, ses descriptions des événements, ainsi que les mots de Vera au téléphone. Des dialogues apparurent puis, comme il me fallut dire d'où émanaient ces commentaires, des personnages prirent forme. Je n'avais pas renoncé à écrire, et même après avoir arrêté la poésie, je continuais à écrire par intermittences, principalement des journaux intimes, avec, à l'occasion, une histoire que j'écrivais et récrivais sans en être jamais satisfaite, ou même le premier chapitre d'un roman aussitôt abandonné. Mais jamais auparavant je n'avais vraiment franchi la mince ligne entre aspiration et réalité. Il fallait pourtant, au milieu de tout cela, que les repas soient prêts, que j'aie promené Hector, à ceci près que la politique avait décidément envahi le petit monde domestique que je m'étais astreinte à décrire.

Je vivais une chose extraordinaire. L'écriture devenait une vie en soi. Ce que j'écrivais restait tributaire de ce que je voyais, entendais et ressentais, cet étrange pays où je restais si définitivement étrangère, mais quelque chose de nouveau venait de s'y immiscer, quelque chose qui me donnait la liberté d'utiliser toute cette matière comme seul point de départ. Et ce quelque chose était l'imagination.

Je restais incapable de me dire à moi-même, ne serait-ce qu'à moi-même, que j'étais en train d'écrire un roman. Le mot seul me semblait magique. J'avais tellement désiré écrire un roman. Je craignais que le seul fait d'employer le mot me porte la poisse. Il fallut que je réunisse toute une brique, quelque deux cents pages, pour enfin admettre que j'avais bien écrit un roman. Je ne l'avais dit à personne, pas même à Andy, et il était suffisamment occupé pour ne pas chercher à savoir ce que je pouvais bien persister à écrire à l'autre bout de la pièce.

J'inventais un monde, mon propre monde. J'avais passé tant d'années à essayer de devenir un élément du monde d'Andy, convoitant un univers qui ne serait jamais le mien. Adopter son univers avait été beaucoup plus simple qu'inventer le mien propre, mais en définitive il n'y avait rien à faire avec ça. Je devais devenir écrivain.

Le titre du roman fut *Birds of Passage*, Les oiseaux de passage**. À la fin de cette année-là, j'envoyai le manuscrit à trois personnes – mon frère, un ami et un éditeur auquel j'avais parlé par téléphone lorsque je travaillais pour le magazine montréalais – puis je reportais mon attention sur ma recherche et mes cours avec mon tuteur linguistique. J'étais éditrice d'ouvrages scolaires, rédactrice en chef d'un magazine et enseignante, très loin de me prendre pour un écrivain, mais c'est pourtant ce que j'étais. Je mis à profit les remarques de mes lecteurs, qui faisaient des suggestions et des commentaires aussi utiles qu'encourageants, pour réviser mon manuscrit. Prise dans l'aventure de l'écriture, j'avais

---

** Birds of Passage, Nuage Éditions, Montréal, 1993

même accepté de rester une seconde année à Budapest. Lorsque nous retournâmes à Montréal à l'été 1992, je transportais dans ma valise un manuscrit complet, qui fut publié au printemps suivant.

Andy voulait demeurer là-bas indéfiniment. Il était dans son élément si bien qu'à cette époque, il était aussi réfractaire au départ que j'étais pressée de m'en aller. Plusieurs bonnes raisons de rentrer me pressaient dont, en tête de liste, mon travail au collège John Abbott, puis la désastreuse situation de notre maison de Pointe-Claire, mais ce qui emporta ma décision fut simplement ceci : la Hongrie avait perdu de son lustre.

Un incident en particulier précipita les choses, par le profond impact qu'il produisit sur moi. Y repenser, même aujourd'hui, me rend malade.

Un garçon du nom de Pali avait apporté un pistolet à l'école et l'avait montré à un petit groupe de garçons. Il était le seul, je crois, à savoir que l'arme était chargée. Mon fils, pour une raison que je n'ai jamais comprise, mit le canon dans sa bouche et appuya sur la gâchette.

Lorsqu'on le ramena chez moi, je n'avais pas idée de ce qui était arrivé. Érzsi le savait parce que les autres enfants lui avaient raconté toute l'histoire, mais j'eus le plus grand mal à obtenir le moindre renseignement de sa part, car elle faisait son possible pour minimiser l'incident. Bout par bout, avec l'aide des autres enfants, je réussis à réunir assez d'éléments de l'histoire pour réaliser que je devais conduire mon fils au plus vite à l'hôpital.

Andy se trouvait au travail, je n'avais pas de voiture et pas idée comment appeler une ambulance, alors je sollicitai l'aide d'Érzsi, mais elle continuait à dire qu'il n'était pas nécessaire d'emmener mon fils à l'hôpital. Fort heureusement, Andy arriva à ce moment-là, puis il conduisit notre fils aux urgences de János Kórház, à dix minutes de chez nous.

Ce n'est que plus tard que j'appris que Pali était le fils d'une amie d'Érzsi et qu'elle avait ainsi retenu les informations dont j'avais besoin dans le seul but de protéger Pali, en faisant tout ce qui était en son pouvoir pour qu'aucune autorité médicale ne soit impliquée dans cette histoire.

Mon fils allait bien, Dieu merci. La radiographie montra que la balle s'était logée dans l'arrière de la nuque, épargnant miraculeusement sa moelle épinière. La balle extraite, nous le reconduisîmes à la maison où je le couchai aussitôt.

Érzsi monta pour raconter toute l'histoire à Andy et à Vera, qui elle aussi était venue pour voir mon fils et me réconforter. Si quelque chose avait jamais été *fontos*, c'était bien cela.

Écouter les autojustifications d'Érzsi ce soir-là me rendit littéralement malade. Il m'était impossible de rester plus longtemps avec eux dans la salle à manger, aussi je me levai et quittai simplement la pièce. Dans notre chambre, assise sur notre lit, j'essayais d'étouffer la voix d'Érzsi. J'étais surtout soulagée parce que mon fils allait bien et voulais juste ne plus penser à rien.

Pour aller dans la salle de bain, j'aurais été obligée de passer à leurs côtés dans la salle à manger, et je ne voulais pas faire cela. Pourquoi pas ? Je ne voulais pas être l'objet de leur compassion. Je savais que je ne voulais pas montrer mon bouleversement. On se débarrasse difficilement des vieilles habitudes de solitaire. J'enfilais un tee-shirt, me couchais et, les yeux au plafond, je suppliais Dieu de les mettre tous à la porte.

Nous rentrâmes à Pointe-Claire au début du mois d'août 1992. Les premiers locataires avaient déménagé pendant que nous étions en Hongrie et notre agent d'immeubles avait trouvé un nouveau locataire, qui se révéla sans probité, un escroc qui vandalisa notre maison, l'utilisa pour entreposer les gains de ses vols et vendit tout ce qui avait un peu de valeur parmi les objets que nous avions laissés dans le garage, la porcelaine fine, l'argenterie, jusqu'à la dentelle. Nous avions, depuis la Hongrie déjà, porté plainte contre cet homme, employant tous les moyens possibles pour le déloger de notre maison, mais il savait comment détourner la loi à son profit, et n'avait finalement déménagé que quelques semaines avant notre retour à la maison. Je garderai jusqu'à la fin de mes jours l'image d'Andy fracassant à la hache la pancarte de contreplaqué installée par l'huissier pour voir ce qui avait été volé et ce qui était en place. Les amis venus nous accueillir à l'aéroport étaient complètement interloqués, mais ils étaient là, et nous ne les avions pas vus depuis si longtemps, que nous réussîmes à entamer un semblant de conversation, jusqu'à ce qu'ils finissent par nous quitter.

C'était un cauchemar. Je n'ai jamais rencontré cet homme mais, grâce à la Cour, j'en appris plus sur lui, y compris qu'il avait été accusé de meurtre, de fraude et de vol dans de nombreux autres lieux et cas, dont certains étaient très semblables au nôtre. C'était presque une histoire, que j'ai d'ailleurs transposé dans le roman que j'ai commencé cet hiver-là.

Certains de ses biens furent saisis et mis en vente par l'huissier, ce qui signifiait que nous pouvions les acheter pour une bouchée de pain. C'est ainsi que nous eûmes une Triumph TR6 jaune, coupé sport. Andy resta quatre semaines, installa un système d'alarme, puis retourna en Hongrie au moment de la reprise des classes.

Il lui arriva de passer quelque temps à Montréal par la suite, donnant un semestre à Concordia, et se promenant dans la ville en Triumph jaune. Pour notre part, nos fils et moi passâmes nos étés en Hongrie pendant les quelques années suivantes. Il y eut un printemps où Andy et moi allâmes au bal hongrois, une dernière fois. Je publiais mon second roman, *The Tragedy Queen*, Un amour de Salomé, et me lançai dans l'organisation d'événements littéraires à Montréal.

Andy partageait son temps entre Budapest et Montréal, continuant à dire qu'il reviendrait, et qu'il s'organiserait pour faire une plus grande partie de son travail à Montréal, et je crois qu'il était sincère. Ou du moins, pour un temps, je le crus.

Au fil des années passées ensemble, Andy était devenu de plus en plus hongrois. Il y eut des périodes de petit changement, comme les dix années passées sur l'avenue du Golf, alors qu'il était en train de bâtir sa carrière universitaire, mais après cela il s'éloigna de plus en plus de moi et me devint de plus en plus étranger. Je l'ai suivi tant que j'ai pu, m'obstinant à faire partie de ce monde, apprenant le hongrois, allant même jusqu'à m'installer en Hongrie pendant deux ans. Mais il demeurait loin devant moi, toujours, si bien que je finis par laisser tomber pour me consacrer à ce à quoi j'aurais peut-être dû me consacrer depuis toujours, c'est-à-dire créer mon propre monde. Alors le fil s'est cassé net.

Est-ce qu'il m'a quittée ? Au moment où nos chemins se sont séparés, j'ai pensé que c'était Andy qui avait épousé la Hongrie.

Est-ce moi qui l'ai quitté ? Il y a peu de temps, j'ai pensé que c'était cela qui avait fini par arriver. Je suis certainement celle qui a insisté pour quitter la Hongrie et retourner à Montréal.

Peut-être nous sommes-nous mutuellement quittés. Dans tous les cas, le temps était venu d'accepter la réalité et de bouger. C'est ce que j'ai fait, en devenant indépendante, et en me créant peu à peu la vie que j'avais toujours imaginée, lorsque j'étais jeune et folle.

Mais ça, c'est une autre histoire.

Introducing Hugh MacLennan's Two Solitudes, essai, Toronto, ECW Press, 1990.

Birds of Passage, roman, Montréal, Nuage Editions, 1993.

The Tragedy Queen, roman, Montréal, Nuage Editions, 1995.

Un amour de Salomé, roman, traduction de *The Tragedy Queen* par Agnès Guitard, XYZ Éditeur, 2002 (Prix du gouverneur général – traduction – 2003).

Ouvrage réalisé par Luc Jacques, typographe. Achevé d'imprimer en septembre 2004 sur les presses de AGMV-Marquis, pour le compte de Leméac Éditeur, Montréal. Dépôt légal, 1ʳᵉ édition : 3ᵉ trimestre 2004 (Éd. : 01 / Imp. 01)